KITCHENER PUBLIC LIBRARY

3 9098 02086590 2

Les Éditions du Boréal
4447, rue Saint-Denis
Montréal (Québec) H2J 2L2
www.editionsboreal.qc.ca

LES LIGNES
DE DÉSIR

DU MÊME AUTEUR

AUX ÉDITIONS DU BORÉAL

Nous seuls, roman, 2008.

Emmanuel Kattan

LES LIGNES
DE DÉSIR

roman

Boréal

© Les Éditions du Boréal 2012
Dépôt légal : 4ᵉ trimestre 2012
Bibliothèque et Archives nationales du Québec

Diffusion au Canada : Dimedia
Diffusion et distribution en Europe : Volumen

*Catalogage avant publication de Bibliothèque et Archives nationales du Québec
et Bibliothèque et Archives Canada*

Kattan, Emmanuel, 1968-

   Les lignes de désir

   ISBN 978-2-7646-2184-4

   I. Titre.

PS8621.A68L53   2012   C843'.6   C2012-941113-2

PS9621.A68L53   2012

ISBN PAPIER 978-2-7646-2184-4
ISBN PDF 978-2-7646-3184-3
ISBN ePUB 978-2-7646-4184-2

I feel closer to God when I doubt his existence than when I believe in him.

VANUDRINE SINHA

1

Mercredi 6 mai 2009

Daniel s'est finalement endormi. Malgré les secousses de l'autobus, malgré la conversation animée de ses voisins, malgré les coups de klaxon tonitruants des camions qui dévalent la voie de gauche. En montant dans l'avion, il ne pensait plus à rien. Il se répétait simplement les prochaines étapes : arrivé à Jérusalem, je dépose mes bagages à l'hôtel et puis je saute dans un taxi pour me rendre à l'université. Là, je rencontre le vice-doyen. J'espère qu'il aura des nouvelles.

Tout à l'heure, dans l'avion, il n'a pas touché à son repas. Voilà deux jours qu'il ne mange presque rien. Sa voisine le regardait du coin de l'œil. Elle avait peut-être la trentaine, mais ses longs cheveux teints rouge vif, l'anneau d'argent qui pendait à sa narine droite et la bague en forme de tête de mort qu'elle portait à l'index lui donnaient un air d'adolescente rebelle. Tous ces détails, pourtant, échappaient à Daniel, dont le regard semblait égaré au loin.

La jeune femme a tenté d'engager la conversation : « C'est votre premier voyage en Israël ? » Il a fait non de la tête. Pour ne pas paraître impoli, il a ajouté : « J'y ai été plusieurs fois lorsque j'étais enfant, mais je n'y suis pas retourné depuis.» Intriguée, la femme scrutait son visage, comme si elle avait plus à apprendre de ses traits, labourés de sillons et de rides, que de ses réponses anodines. «Vous avez de la famille en Israël?» Qu'aurait-il pu lui répondre? Oui, j'ai ma fille. Elle a disparu. Personne ne sait où elle est. Je suis sans nouvelles depuis près de deux semaines. Mais pourquoi se confier ainsi à une étrangère? Il n'aurait réussi qu'à l'embarrasser. Elle aurait balbutié des paroles insignifiantes: «Je suis désolée... je... si je peux faire quoi que ce soit...» Il valait mieux mentir: «Non, je n'ai pas de famille. Je vais visiter, c'est tout.» Et après un long silence, il avait enfoncé ses écouteurs dans ses oreilles.

Maintenant, dans l'autobus qui le mène à Jérusalem, Daniel repense à sa conversation avec le vice-doyen de l'université, Doron Shemtov. C'était il y a cinq jours. Il était sur le point de sortir, le téléphone avait sonné au moment où il allait refermer la porte de l'appartement. Il était en retard, mais avait quand même répondu, au cas où ç'aurait été Sara. Cela faisait plus d'une semaine qu'elle ne lui avait pas donné de nouvelles. Elle ne répondait ni à ses courriels ni à son téléphone. Inquiet, Daniel avait contacté l'université. On lui avait appris qu'elle ne s'était pas présentée à ses cours. Le lendemain, Daniel recevait un appel du vice-doyen. Celui-ci lui apprenait que le service de sécurité avait lancé une enquête. Quelques jours plus tard, la police était alertée et Daniel prenait l'avion pour Jérusalem.

L'autobus avance péniblement. « Des travaux, toujours des travaux, c'est un véritable fléau ! » Sa voisine a croisé son regard et en a profité pour partager avec lui sa frustration. Daniel fait oui de la tête, puis sort de sa poche son cellulaire pour appeler de nouveau Sara. Toujours pas de réponse. Depuis sa conversation avec le vice-doyen, il a tenté de joindre sa fille des dizaines de fois. Même dans l'avion, il s'est enfermé dans les toilettes pour lui téléphoner secrètement.

« Il ne faut pas s'affoler, il ne faut pas s'affoler. » Cette petite phrase, il se la répète sans cesse depuis son départ de Montréal. Elle est devenue sa boussole, son havre, comme un air de musique rassurant qu'on chante à un enfant pour l'aider à s'endormir. Mais, malgré ses efforts, Daniel ne peut s'empêcher de penser au pire.

* * *

Jérusalem, le 8 octobre 2008
Mon père est juif. Ma mère était musulmane. Moi, je suis les deux. Longtemps, j'ai vécu sans me poser de questions.

À la maison, maman priait tous les jours. Parfois, elle m'invitait à la rejoindre. Elle me montrait comment me laver les mains, puis la bouche, le nez, les oreilles, les pieds, et j'imitais fidèlement tous ses gestes. Puis je m'agenouillais à côté d'elle et je récitais les quelques sourates qu'elle m'avait apprises. Je ne comprenais pas toujours, mais je me laissais guider par elle, j'épousais les modulations de sa voix, je prenais plaisir, moi aussi, au chant de chaque mot. Je trouvais dans ces moments un certain réconfort, la consolation d'une discipline. Mais ce qui comptait avant tout, c'était de me sentir proche de maman, sans avoir à lui parler, sans avoir même à la regarder.

Avec papa, c'était différent. Il célébrait les grandes fêtes — Yom Kippour, Rosh ha-Shanah, Pessah —, il aimait bien me raconter les histoires de la Bible, mais la religion n'occupait pas une grande place dans sa vie. Une fois, pendant la maladie de maman, je lui ai demandé s'il croyait en Dieu. Il m'a regardée de son regard tendre, un regard qui ne disait que l'impuissance de l'amour : « Tu sais, Sara, Dieu n'a pas besoin que nous croyions en lui. Tout ce qu'il désire, c'est que nous agissions comme s'il était là. » Cette réponse m'a tellement déçue, j'ai eu du mal à réprimer mes larmes. Ce que je voulais, c'est que maman guérisse, je voulais un « oui » immense, franc et ferme : « Oui, Dieu est là, il nous regarde, il nous écoute, il sauvera ta mère. » Mais papa ne connaissait pas ce besoin. Il croyait aux médecins, à leur savoir, à leur détermination. Il s'en remettait entièrement à eux. Je crois que je ne l'ai jamais vu prier, je veux dire, vraiment prier, avec ferveur, en se laissant pénétrer par les mots. Les rares fois où il m'emmenait à la synagogue, il suivait les étapes du service dans son livre, il m'en indiquait les pages, il s'inclinait au moment où tout le monde s'inclinait, il psalmodiait, comme les autres, les louanges et les hymnes, mais son visage, sa voix ne trahissaient aucune émotion. Il s'ac-

quittait d'un devoir, voilà tout. Pour papa, Dieu n'est qu'une idée. Il n'est pas là, il ne l'a jamais été.

*   *   *

De : Sara
À : Daniel
Objet : Jérusalem
Mercredi 8 octobre 2008, 23 h 31

Bonsoir papa,
Je suis bien arrivée. Dans l'avion, je n'ai presque pas dormi, j'étais trop excitée. J'ai commencé à lire *La Porte du soleil* d'Elias Khoury. Tu as raison, c'est très émouvant.
J'ai une chambre à la résidence du Mont Scopus. Le temps est doux, j'ai l'impression d'être en vacances. Demain, rendez-vous au bureau des inscriptions. Les cours commencent lundi prochain. J'ai hâte.
Je suis épuisée, je vais me coucher — en espérant que je ne me réveillerai pas à trois heures du mat'. Je t'appelle samedi.
Je t'embrasse,
Sara

De : Daniel
À : Sara
Objet : Jérusalem
Jeudi 9 octobre 2008, 7 h 18

Ma chérie,

J'étais content de recevoir ton message. J'aurais voulu que tu m'appelles dès ton arrivée, mais je me suis dit que ton téléphone ne fonctionnait peut-être pas. En tout cas, je suis maintenant rassuré. Hier matin, après t'avoir déposée à l'aéroport, je suis allé me promener au parc La Fontaine. Ce n'était pas une bonne idée. L'endroit déborde de souvenirs, c'est là que ta mère et moi t'emmenions jouer avant de déménager sur Édouard-Montpetit. Au bout d'un quart d'heure, je n'en pouvais plus, je suis rentré. Tu me manques. J'attends ton appel avec impatience.

Ton père qui t'aime

*   *   *

Jérusalem, le 9 octobre 2008
Ce matin, je suis allée au bureau des inscriptions pour obtenir ma carte d'étudiant. La préposée, une dame dans la cinquantaine au visage sec et sévère, a consulté longue-ment mon dossier. Les sourcils froncés, elle tournait les pages lentement, examinant ma photo, s'attardant sur quelque détail qui semblait retenir son attention, prenant en note mon numéro de passeport dans un grand cahier rouge. Puis elle a levé la tête vers moi et, soudain, son regard s'est adouci. « Est-ce que vous parlez arabe ? » Elle avait sûrement remarqué le nom de ma mère, Leila Hachem, et en avait déduit que je devais connaître au

moins quelques mots dans cette langue. Je lui ai répondu dans mon meilleur arabe, et son visage s'est immédiatement éclairé.

Comme si j'avais été une lointaine cousine soudain retrouvée, elle s'est mise à me poser mille questions, curieuse de savoir où j'étais née, quelles études j'avais faites. Elle m'apprit qu'elle travaillait à l'université depuis plus de vingt ans et qu'elle venait de Tira, un village à mi-chemin entre Haïfa et Jérusalem. Je voyais se profiler dans son sourire, qui semblait contredire l'amertume et la fatigue de ses traits, la gratitude d'avoir été reconnue. Cette complicité, née seulement de la langue, lui rappelait peut-être quelque lien invisible, d'autant plus précieux qu'il était éphémère et fragile.

Cependant, notre petite conversation avait éveillé la curiosité des étudiants qui attendaient de l'autre côté du bureau. Lorsque je me suis dirigée vers la sortie, j'ai senti dans leur regard, non pas de l'envie — pourquoi seraient-ils jaloux que je parle l'arabe? —, mais de la suspicion: puisque la préposée m'avait témoigné autant de gentillesse et de sollicitude, cela ne voulait-il pas dire que j'avais eu droit à un traitement de faveur?

Cette rencontre m'a laissé un goût amer — et une certaine inquiétude, aussi. J'ai eu le sentiment que je n'avais pas été honnête, que je m'étais un peu trahie moi-même. Il aurait fallu que j'explique à cette dame que j'étais juive aussi, que je savais mes prières en hébreu, que mon père m'emmenait avec lui à la synagogue lorsque j'étais petite. Mais elle n'aurait sûrement pas compris. Le charme se serait rompu, son visage se serait refermé, et *j'aurais senti qu'en voulant à toute force demeurer entière c'était elle que je trahissais.*

*   *   *

« Vous avez fait bon voyage ? »

Daniel regarde le vice-doyen, interloqué. La question lui paraît déplacée, mais son extrême fatigue lui embrouille l'esprit. Sans réfléchir, il répond : « Oui, merci, j'ai fait bon voyage. Tout s'est passé sans encombre. »

— J'ai bien peur que nous n'ayons toujours pas de nouvelles de votre fille. Quand lui avez-vous parlé pour la dernière fois ?

— Il y a une douzaine de jours.

— Et depuis ?

— Depuis, rien… Ces derniers temps, elle m'a paru inquiète. Elle m'appelait moins régulièrement. Je mettais ça sur le compte de ses études et de ses examens. Et puis, soudain, elle a cessé de répondre à ses courriels. Elle ne retournait plus ses messages. Le dernier que j'ai reçu d'elle date du 24 avril.

— Savez-vous où elle pourrait se trouver ? Vous a-t-elle parlé d'un voyage quelconque ?

— Non. Je crois que si elle avait eu l'intention de partir, elle m'en aurait sûrement glissé un mot.

— Bien sûr. En attendant, nous avons confié l'affaire à la police. Le commissaire chargé de l'enquête a établi une liste d'individus susceptibles de nous fournir des renseignements à son sujet. Il pourra sûrement vous en dire plus long. D'ailleurs, il souhaite vous parler le plus rapidement possible.

Le vice-doyen tend à Daniel un bout de papier sur lequel il a griffonné l'adresse du commissariat. Il relève la tête, esquisse un bref sourire. « Pour notre part, nous avons placé un avis de recherche dans le journal universitaire et sur notre site web. Les professeurs et les camarades de Sara collaborent déjà avec la police. Nous ferons tout ce que nous pouvons pour la retrouver. »

Le vice-doyen se lève et tend la main à Daniel. Sa poigne énergique se veut rassurante, mais Daniel ne peut s'empêcher de lire dans le regard de l'homme une troublante inquiétude.

*   *   *

Jérusalem, le 11 octobre 2008
Ce matin, longue promenade dans les rues du quartier arménien. J'ai déjeuné à la cafétéria de l'université, puis je suis allée me promener sur la terrasse pour contempler la vue de Jérusalem en attendant mon cours. Même de si loin, on a l'impression d'être au centre de la ville, au milieu des rues étroites, des bruits et des odeurs.

Jérusalem, le 13 octobre 2008
Hier soir, en revenant de mes cours, je suis allée me prome-

ner dans le quartier de Yemin Moshe. Comme j'étais trop fatiguée pour réfléchir, je laissais mon regard errer sur les allées qui serpentaient vers Mishkenot Sha'ananim. Non loin du moulin de Montefiore, je me suis arrêtée à l'entrée d'une synagogue. On pouvait entendre la complainte mélancolique de Lekha Dodi, le chant qui annonce le commencement du shabbat. Ces paroles d'amour, où l'homme est l'amant, et le repos, la fiancée qu'il accueille, je ne les ai jamais bien comprises. Ne sommes-nous pas plutôt unis à Dieu par le manque, l'épreuve, l'incertitude ? « Et tu aimeras le Seigneur ton Dieu de tout ton cœur, de toute ton âme, de toutes tes forces. » Même pendant ma période la plus pieuse, lorsque je priais tous les jours pour que maman guérisse, je ne me suis jamais sentie proche de ces mots. Aimer, c'est ce que l'homme donne à l'homme. Mais Dieu, c'est une question, la présence que je désire et dont je ne sais rien encore. Elle se laisse habiter par ma détresse, elle accueille peut-être mes doutes, mes angoisses, mais ce n'est pas l'amour qui nous unit. Pour aimer, il faut pouvoir être à l'autre, et pour Dieu, je ne sais même pas si j'ai commencé à exister.

Longtemps, je suis restée debout à écouter ce chant triste, dont les accents marqués à la fois de douleur et d'espoir restaient suspendus dans l'immobilité de la nuit tombante. J'ai failli entrer. Ç'aurait été la première fois depuis plusieurs années que je mettais les pieds dans une synagogue. Si je me suis ravisée, ce n'est pas parce que je redoutais d'être confrontée à des regards inconnus, ni parce que je me serais retrouvée dans la galerie des femmes, tout en haut, cachée derrière un treillis de bois qui m'aurait empê-

chée de voir le service de la prière. C'est plutôt que je redoutais les sentiments que ce rapprochement aurait fait ressurgir en moi.

Me retrouver là, à chanter avec les autres la joie du repos, du temps suspendu, m'aurait paru incongru, absurde, même. Cette célébration était pour ceux dont la vie entière est habitée par la prière ; elle était l'aboutissement d'une semaine passée à rappeler la présence du divin dans les plus menus actes quotidiens. Moi, il y a longtemps que j'ai abandonné cette discipline. Dieu est un mot qui occupe encore mes pensées, mais que je n'arrive plus à rejoindre.

*   *   *

Le commissaire Nathan Ben-Ami ne regarde pas l'homme en face de lui. Lorsqu'il est entré dans son bureau, il lui a serré la main et lui a indiqué le fauteuil de cuir râpé en face de lui. Il lui a offert un café, que Daniel a refusé d'un signe de la main.

Tout en lui parlant, le commissaire jette des coups d'œil distraits sur l'écran de son ordinateur. Il déplace quelques dossiers, les soulève, les empile sur une table basse, à côté de son bureau. Il sort son BlackBerry de la poche intérieure de son veston, manipule la petite roulette pour vérifier ses messages. Puis il retourne à ses dossiers, boit une gorgée de café, grimace, tend à nouveau la tête vers son ordinateur en clignant des yeux.

Il ne regarde pas Daniel. À quoi bon ? Il ressemble à tous les autres. Ceux qui viennent d'être cambriolés, ceux qui ont bousillé leur voiture, ceux qui ont renversé un cycliste. Ils ont tous le même regard inquiet, le même visage hagard, le même immense désir : que tout rentre dans l'ordre, et le plus vite possible. Que lui, le sergent Ben-Ami — comme s'il en avait le pouvoir ! —, réponde à toutes les questions qui les assaillent et leur fasse signer quelques papiers pour qu'ils retrouvent leur quotidien paisible.

Daniel observe l'homme qui s'agite en face de lui. Pivotant sur sa chaise comme une girouette, un œil sur une pile de papier, l'autre sur son téléphone, le commissaire Ben-Ami semble très peu intéressé par sa présence. Sa tête, énorme par rapport à son petit corps replet et à ses mains minuscules, lui donne un air de tyrannosaure égaré, un effet accentué par ses dents pointues et ses yeux à fleur de front.

Daniel répond à toutes ses questions : quand a-t-il parlé à Sara pour la dernière fois ? Avait-elle l'intention de partir en voyage ? Qui connaît-elle en Israël ? Que sait-il de ses amis, de ses fréquentations ? Les questions fusent, s'enchaînent, se chevauchent, comme si le commissaire connaissait déjà toutes les réponses.

Au bout de quelques minutes, le sergent Ben-Ami se lève et vient s'asseoir tout près de Daniel. Les coudes plantés sur ses genoux, sa tête volumineuse appuyée sur ses poings fermés, il regarde Daniel fixement :

— Croyez-vous que Sara ait des ennemis ?

Daniel dévisage le commissaire, interloqué.

— Des ennemis? Qu'est-ce que vous voulez dire, au juste?

— Y aurait-il, dans son entourage, des personnes qui seraient jalouses d'elle, qui pourraient lui vouloir du mal?

— Non, pourquoi? En tout cas, si elle se sentait menacée, elle ne m'en a rien dit... Vraiment, non, je ne vois pas. Elle m'a parlé de ses camarades. Elle semblait bien s'entendre avec eux... Et puis, elle n'est pas du tout du genre à être impliquée dans des affaires de drogue, si c'est là où vous voulez en venir.

Le commissaire recule son fauteuil, croise les jambes, place son bras derrière le dossier pour se donner un air détendu. D'un ton insidieux, comme s'il soupçonnait Daniel de lui mentir, il poursuit:

— Côté sentimental, est-ce qu'elle a un petit ami?

— Pendant un moment, elle sortait avec un certain Avner, mais ils se sont séparés il y a quelques mois.

— Pourquoi?

— Je ne suis pas sûr... Ça n'a pas marché, c'est tout ce que Sara m'a dit.

Le sergent a sorti de sa poche un carnet dans lequel il prend maintenant des notes.

— Et depuis?

— Depuis, quoi?

— Eh bien, est-ce qu'elle avait une relation... quelqu'un dans sa vie?

— Non, je ne crois pas.

Le commissaire relève la tête, fronce les sourcils, puis se replonge dans son carnet et se met à en tourner les pages nerveusement. Il regarde Daniel du coin de l'œil.

— Est-ce que le nom d'Ibrahim Awad vous dit quelque chose?

— Non, pourquoi?

— Il aurait été aperçu en compagnie de Sara peu avant qu'elle disparaisse.

— Qui… qui est-il?

— Il semble que Sara et lui soient très proches. Son nom a été évoqué par plusieurs amis de Sara. Sa famille est également sans nouvelles de lui. Nous cherchons à en savoir plus long.

Le visage de Daniel, dont la fatigue a jusque-là occulté l'angoisse, se raidit soudain, révélant, derrière l'égarement, une peur lucide. Sa voix, auparavant placide, s'est muée en une plainte impérieuse et hostile:

— Mais… que savez-vous, au juste? Quand même, c'est… Quelqu'un doit bien avoir vu Sara… On ne disparaît pas comme ça, du jour au lendemain…

— Écoutez, monsieur Benzaken, nous faisons tout ce qui est en notre pouvoir pour retrouver votre fille. Nous avons interrogé ses professeurs, ses amis, ses camarades, tous ceux qui la connaissent. Nous avons vérifié le contenu de son ordinateur, nous avons retracé les appels de son cellulaire et, en ce moment même, un avis de recherche circule dans tous les commissariats du pays. Inutile, pour l'instant, de nous perdre en spéculations.

Le téléphone sonne. Le sergent retourne à son bureau pour y répondre. Derrière lui, la fenêtre ouverte laisse entrevoir une cour d'école. C'est l'heure de la récréation. Les cris des enfants s'élèvent dans un brou-haha mélodieux, comme la rumeur grouillante et lan-goureuse des instruments qu'on accorde avant un concert. Daniel cède à nouveau à la fatigue — il suffit d'un moment de distraction —, et voilà que les souve-nirs refluent, le submergent, l'entraînent dans leur che-vauchée capricieuse. La cloche vient de sonner, il attend Sara devant la grille de l'école. Elle ne court pas vers lui, elle ne lui saute pas dans les bras, pas devant ses cama-rades. Mais assise sur le siège arrière de la voiture, elle tend le visage vers lui et, plaçant son index sur sa joue d'un geste coquet, exige un baiser. C'est le début de l'été, les vacances arrivent, et Daniel est transporté à Saint-Adolphe, au bord du lac Vingt-Sous. Là, à quelques mètres de leur chalet, Leila et lui avaient planté un lilas pour célébrer la naissance de Sara. Aussitôt, un autre souvenir : de retour à Montréal, Sara est assise sous le porche de leur maison, boulevard Édouard-Montpetit. Elle l'invite à la rejoindre et, une grappe de lilas à la main, lui apprend comment détacher les fleurs pour en sucer le nectar. Mais son esprit avide ne lui laisse pas le temps de savourer la scène. Vite, une autre image, surgie de plus loin encore : gros plan sur Sara bébé. Dans son bain, elle rit en éclaboussant Daniel. En réponse à chaque provocation, il lui invente un nouveau nom qu'elle répète sans comprendre, en l'aspergeant de plus belle : Saradieuse, Sarabougrie, Saratatouille, Saravageuse, Saravissante, Sarazdemarée… Daniel se ressaisit. Non, il faut tout de suite arrêter. La pente des souvenirs, c'est trop dangereux. Surtout maintenant.

Le sergent a raccroché. Il se lève, s'approche de Daniel, la main tendue : « Faites-moi confiance, nous ferons tout pour retrouver votre fille », répète-t-il. « Et si vous avez des nouvelles, évidemment… » Daniel se laisse guider, remercie le commissaire et s'engage dans le long couloir qui mène à la sortie. La porte du bureau qui se referme derrière lui, la réceptionniste qui lui lance un regard compatissant, le chauffeur de taxi qui insiste pour placer lui-même sa valise dans le coffre, tout semble conspirer à lui rappeler que sa vie est maintenant en suspens. Aux yeux des autres, à ses propres yeux, même, il n'est plus que ça : un homme dont la fille a disparu, un homme inquiet, un homme qui attend.

* * *

« J'espère qu'il ne lui est rien arrivé. » Cette petite phrase à laquelle s'arrime sa conscience recouvre un labyrinthe de questions et d'angoisses : Sara a peut-être été attaquée… elle a eu un accident… elle est blessée… elle… Mais Daniel refuse de donner des mots à sa peur. Par superstition, peut-être, pour résister à l'inquiétude qui le menace, toutes ces images sont aussitôt neutralisées par cette petite phrase en apparence anodine : « J'espère qu'il ne lui est rien arrivé. »

Jérusalem, le 16 octobre 2008

L'étudiante avec qui je partage ma chambre s'appelle Samira. Elle parle beaucoup. Surtout d'elle-même, de sa famille, de ses parents, qui habitent toujours à Jérusalem, de ses études de droit — « Quel ennui ! » —, de sa passion pour la poésie. Son regard erre un instant sur la petite étagère au-dessus de son lit, puis elle se lève brusquement pour y chercher un volume en anglais, les œuvres de Keats. Elle l'ouvre, comme au hasard (mais en fait, c'est un poème qu'elle connaît presque par cœur, La Belle Dame sans merci), et se met à lire en ponctuant chaque vers de mouvements théâtraux. « Il est mort à vingt-cinq ans, m'explique-t-elle, mais ses idées, ce sont celles d'un vieil homme ! » Son enthousiasme a quelque chose de forcé. On dirait que tous ces mots, ces grands gestes qui semblent mimer une avalanche imaginaire sont là pour faire diversion, comme s'il y avait en elle un nœud de tristesse qu'il ne fallait pas laisser paraître.

Samira m'explique que c'est son père qui l'a encouragée à poursuivre des études de droit. Elle n'est pas malheureuse mais, parfois, elle est tentée de tout abandonner : « Je suis fatiguée de me bourrer la mémoire de tous ces articles de loi, de toutes ces clauses et de ces corollaires. Il y a des choses plus importantes dans la vie. Mes parents n'y comprennent rien. Ils veulent assurer mon avenir. Ils me disent que je ne dois dépendre de personne. Ils ont raison, au fond. Mais à quoi bon ces études, à quoi bon une

carrière si moi-même je reste vide ? Tous ces efforts n'au-
raient aucun sens si on n'aspirait pas à autre chose : le
désir de connaître, de s'enrichir d'idées nouvelles, de
découvrir en soi-même d'autres ressources. Ça compte, ça
aussi, tu ne crois pas ? » Samira me jette des regards implo-
rants, comme si c'était moi qui voulais la forcer à devenir
avocate. « L'autre jour, poursuit-elle, j'ai offert à mon père
un livre de poèmes de Mahmoud Darwish. Il l'a à peine
regardé, puis m'a remerciée poliment, comme s'il s'était
agi d'une cravate bon marché. Lorsque je lui en ai reparlé,
le vendredi suivant, tu sais ce qu'il m'a dit ? "La poésie, c'est
pour les rêveurs, et les rêveurs n'ont jamais rien changé au
monde. Ce ne sont pas les belles paroles qui nous délivre-
ront de l'oppression." Je n'ai rien répondu. Je sais bien que
la poésie ne nous apportera pas la paix. Mais sans les mots,
sans les histoires… Qu'est-ce que tu en penses, toi ? »

Samira voulait mon soutien. Je le voyais dans son regard
plein d'attente et d'ardeur, comme celui d'un professeur
qui se retient à peine de souffler la bonne réponse à son
élève. Je sais ce que j'aurais dû lui répondre. J'aurais dû
dire que la résistance passait par l'histoire, que raconter
était notre devoir à tous, que la vraie solidarité, ce n'était
pas simplement de se scandaliser de la violence et de
l'indifférence du monde, mais qu'il fallait aussi s'engager, témoigner, écrire dès à présent l'histoire qui serait
notre avenir. Mais je n'ai jamais été séduite par ce genre
d'idéalisme. Et puis, comment discuter d'un tel sujet
sans révéler à Samira que je ne suis pas seulement
musulmane, mais que je suis également juive ? Que je
porte aussi en moi les souvenirs de mon père, les récits

de la guerre, qu'il n'a pas lui-même vécue, mais qui ont néanmoins imprégné sa conscience ?

Alors j'ai préféré ne rien dire. Et pour lui montrer qu'elle pouvait voir en moi, sinon une complice, du moins une amie bienveillante, je lui ai demandé de me prêter le livre de Keats qu'elle tenait encore à la main.

*   *   *

De : Sara
À : Daniel
Objet : Nouvelles de Jérusalem
Vendredi 17 octobre 2008, 14 h 20

Bonjour papa,
J'espère que tu vas bien. J'ai plein de choses à te raconter. D'abord, j'ai finalement rencontré mon directeur de recherche, Shlomo Oren. Un peu froid au début, mais quand il parle de son travail, il devient passionné. Il supervise les fouilles de Khirbet Qeiyafa, un site archéologique au sud-ouest de Jérusalem. C'est là, paraît-il, que David a terrassé Goliath. Il m'a convaincue de me joindre à son groupe. Nous partons début novembre.
À l'université, j'ai rencontré beaucoup d'étudiants étrangers : des Australiens, des Français, des Allemands. On est une dizaine à suivre le séminaire sur l'archéologie biblique et, le soir, on va tous prendre un verre ensemble.

Ma coloc s'appelle Samira. Très passionnée — de poésie, de cinéma… et de garçons. Elle est inscrite en droit (pour faire plaisir à son père), mais elle rêve d'écrire. Nous nous entendons bien, même si parfois elle me soûle un peu.

Voilà, j'ai hâte de te parler.

Sara

De : Daniel
À : Sara
Objet : Nouvelles de Montréal
Vendredi 17 octobre 2008, 22 h 53

Ma chérie,

Merci pour ces dernières nouvelles. Tu me manques. Heureusement, j'ai mes cours à préparer, ça me tient occupé. J'enseigne la peinture flamande, cet automne. La semaine dernière, nous avons étudié les tableaux bibliques de Rembrandt. À ce sujet, tu sais d'où vient l'expression anglaise *the writing is on the wall* ? En fait, c'est une allusion au *Festin de Balthazar*, lorsque ce dernier voit la main divine tracer sur le mur le décret qui annonce la fin de son empire. Ça fait vingt ans que j'enseigne ce tableau, mais ce n'est qu'aujourd'hui, grâce à l'un de mes étudiants, que j'ai fait le lien. Demain, je serai à la campagne. Appelle-moi plutôt dimanche.

Je t'embrasse très fort,
Ton père qui t'aime

*   *   *

Arrivé dans sa chambre d'hôtel, Daniel tire aussitôt les rideaux. Il s'assoit sur le bord du lit, sort son téléphone de la poche intérieure de son veston et compose le numéro de Sara. C'est le rituel qui l'accompagne depuis une semaine, un geste répété fidèlement toutes les heures, tous les jours. C'est l'acte, en apparence banal, qui peut encore le convaincre que rien n'a changé, que tout rentrera dans l'ordre.

Il appelle, pas de réponse. Il y a sûrement une explication. Sur un coup de tête, elle sera partie en excursion dans le désert avec des amis. Elle aura perdu son téléphone ou bien aura oublié de le charger. Peut-être encore est-elle tombée follement amoureuse, peut-être qu'elle vit enfermée depuis une semaine avec un garçon et qu'elle a tout simplement décidé de s'isoler du monde. Peut-être… Exténué, Daniel s'effondre sur le lit.

*   *   *

Il se réveille en sursaut. Son cœur bat très fort. C'est l'angoisse, un ravin qui s'ouvre en lui. Combien de temps a-t-il dormi? Comment peut-il dormir, alors que… Mais il est épuisé et le sommeil n'est plus un plaisir.

Daniel referme les yeux. D'où vient ce souvenir? Comment s'est-il faufilé jusqu'ici? C'était il y a quinze ans, un week-end d'automne, Sara et lui se promènent sur le mont Royal. La première neige est tombée mais a presque immédiatement fondu. Sur le bord du chemin, Sara s'arrête. Daniel s'approche. C'est un oiseau mort.

Daniel prend la main de Sara, cherche à l'entraîner, mais elle refuse de partir. « Il faut s'occuper de lui. » Elle prononce ces paroles d'un ton qui n'admet pas de réplique. À genoux, au pied d'un arbre, elle se met à creuser, armée d'une branche qu'elle a trouvée sur le sol. Mais la terre est trop dure, la branche se brise. « J'ai besoin d'une pelle. » Les bras ballants, Daniel regarde autour de lui. Où peut-il donc trouver une pelle? À contrecœur, il s'éloigne, fait une dizaine de pas en direction du lac et ramasse quelques bouts de bois. Lorsqu'il revient, Sara ne se retourne pas. Elle a trouvé une pierre tranchante et s'acharne à frapper la terre de toutes ses forces. Malgré ses vaillants efforts, on aperçoit à peine un petit creux. À ce rythme-là, ils y passeront tout l'après-midi. Résigné, Daniel s'agenouille et, d'un geste dont il regrette aussitôt l'impatience, lui prend la pierre des mains. Il peine, jure, s'écorche les doigts et bientôt parvient à creuser un orifice juste assez grand pour accueillir l'oiseau. Pendant ce temps, Sara attache ensemble les branchettes qu'il a rapportées avec un élastique à cheveux. « C'est un épouvantail, explique-t-elle. Pour éloigner les mauvais esprits. » Elle l'envoie encore chercher des brindilles pour les pieds et des pommes de pin pour les yeux. Il revient, « non, celles-ci sont trop grosses », repart, en rapporte de plus petites. Il a froid, il est fatigué, il dissimule mal sa mauvaise humeur et, pourtant, il s'en veut déjà de ne pas jouer le jeu avec plus d'enthousiasme.

Il aurait fallu accompagner Sara, la prendre au sérieux, la devancer, même : « Pourquoi ne pas garnir l'épouvantail de rubans ? Et si on gravait le nom de l'oiseau sur une pierre qu'on poserait sur le tertre ? » Mais Daniel ne pensait qu'à rentrer, il craignait d'attraper un mal de gorge. Et puis, il devait se préparer : il recevait le lendemain un directeur de galerie qui se disait intéressé par ses derniers tableaux, et il tenait à lui faire bonne impression.

En évoquant cet épisode, Daniel regrette d'être demeuré en retrait du moment, comme s'il n'avait été qu'un témoin impuissant, étranger à l'urgente entreprise dans laquelle avait cherché à l'entraîner Sara. Allongé sur le lit dans sa chambre d'hôtel, il contemple la scène qui défile lentement devant ses yeux, à l'affût de nouveaux détails qui lui auraient auparavant échappé. Et la détresse lancinante qu'il laisse s'immiscer en lui ne vient pas uniquement de l'instant perdu, mais de la réalisation que ce passé ne lui a jamais vraiment appartenu. Cette double absence — celle du souvenir et la sienne, exilé du souvenir — rend l'inquiétude qui le ronge plus insupportable encore.

*　.　*　　*

Jérusalem, le 19 octobre 2008

Ce soir, j'ai parlé à papa au téléphone. Il m'a posé beaucoup de questions. Il voulait être rassuré, être certain que je mangeais bien, que j'avais des amis, que mes cours étaient intéressants. Sans grand enthousiasme, j'ai tenté de dissiper ses inquiétudes. Je lui ai décrit mes journées par le menu détail : mes repas, mes rencontres, mes lectures.

Mais j'ai vite senti que papa n'était pas très intéressé. Ce qu'il voulait, au fond, c'était parler du passé, de maman, de nos vacances ensemble. « L'autre jour, je cherchais mon passeport et je suis tombé sur une photo de toi tenant un limule par la queue. C'était sur une plage dans le Maine, je crois, ou bien à Cape Cod. Tu portais un maillot bleu foncé. Tu devais avoir douze ou treize ans. Tu te souviens ? » Il ne m'a pas laissé le temps de répondre et a poursuivi : « La plage était jonchée de limules, il y en avait tellement qu'il fallait faire attention où on marchait pour ne pas les écraser. Ce matin-là, nous avions rencontré un vieil homme qui se promenait avec son chien sur la plage. Il t'avait expliqué que ces créatures bizarres qui ressemblent à des casques de soldat étaient parmi les plus anciennes du monde ; elles n'avaient presque pas changé depuis cinq cents millions d'années. Il t'avait aussi appris que les limules venaient sur la plage pour s'accoupler mais que plusieurs finiraient par griller au soleil et que, d'ici la fin de la journée, la moitié d'entre eux seraient morts. Lorsque l'homme est parti, tu t'es mise à ramasser les limules par la queue et à les lancer de toutes tes forces dans la mer. Tu courais vers les vagues, un limule dans chaque main, et tu criais : "Il ne faut pas qu'ils meurent !" Tu te souviens ? »

Je sentais à sa voix que papa était ému. Il me parlait des limules, mais c'était à maman, assise sous son parasol, les pieds enfoncés dans le sable, qu'il pensait. Je lui ai répondu en hésitant que je me rappelais en effet cette journée, cette photo, mon maillot de bain bleu foncé, mais il n'était pas dupe. Il avait tant besoin, pourtant, que je me souvienne. C'était comme si, sans moi, le souvenir risquait de s'évanouir, comme s'il fallait le lest de nos deux regards pour le retenir et que si l'un de nous cédait, l'autre aussi perdrait prise et laisserait le souvenir disparaître, comme un ballon emporté par le vent. Au moment de raccrocher, j'ai senti qu'il attendait encore une parole de réconfort, une assurance, peut-être, qu'il n'était pas tout seul dans son passé. Alors, je m'en suis voulu de ne pas avoir mieux menti.

Jérusalem, le 19 octobre 2008, deux heures du matin
Papa, j'aurais dû mieux te comprendre, j'aurais dû savoir te répondre. Mais vraiment, j'ai beau me creuser la cervelle, je n'ai pas les mêmes souvenirs que toi. Tout ce qui me revient, ce sont ces gargouilles que tu sculptais dans le sable et qui ressemblaient à des monstres gothiques sortis des profondeurs de la terre. Tu leur façonnais de grandes bouches béantes et tu m'envoyais chercher des morceaux de coquillages blancs pour imiter les dents. Et la nuit, je ne te l'ai jamais dit, j'en faisais des cauchemars.

Je me souviens aussi que peu après l'un de ces étés passés en Nouvelle-Angleterre, maman a été hospitalisée pour la première fois. Je me souviens de ta douleur, de tout ce dont tu n'as jamais voulu parler par la suite, même plusieurs années après sa mort. Tu t'enfermais dans la salle de bains pour ne pas que je te voie pleurer. Les médecins t'avaient laissé entendre qu'il n'y avait aucune chance de rémission mais, toujours, tu me faisais croire qu'elle s'en sortirait. Et lorsque je rentrais de l'école, tu me souriais, même si dans tes yeux il n'y avait plus que la peur.

Tu n'as jamais voulu évoquer ces longs mois d'attente et d'angoisse, ces nuits où nous ne dormions pas parce que maman avait passé la journée à vomir, ces soirées où nous respirions un peu plus librement parce que les résultats des tests avaient été meilleurs. De quoi parliez-vous, maman et toi, lorsque tu lui tenais la main, assis à son chevet, en attendant la venue du médecin? À quoi pensais-tu quand tu faisais les cent pas dans le couloir de l'hôpital, le jour de sa dernière opération? Tu ne priais pas, tu ne savais pas prier, alors comment occupais-tu ton esprit? Peut-être te rappelais-tu les premiers moments que vous aviez passés ensemble, maman et toi? Vos promenades sur le mont Royal ou le long du canal Lachine? Ou bien peut-être rêvais-tu des voyages que nous ferions ensemble, des villes que nous visiterions si les médecins s'étaient trompés, si, contre toute attente, maman guérissait? Ce jour-là, l'infirmière t'avait renvoyé à la maison. Elle avait vu tes yeux cernés, tes traits tirés, ta démarche légèrement titubante et t'avait convaincu que tu avais besoin de repos. Elle t'avait promis de te téléphoner aussitôt que l'opération serait terminée.

Comme tu ne tenais pas en place, je t'ai proposé de jouer aux dames. Au début, tu faisais un effort pour te concentrer. Tu suivais le jeu, les sourcils froncés, et tu prenais le temps de réfléchir avant chaque coup. Puis, ton attention s'est relâchée et tu as commencé à perdre. Je mangeais tes dames, deux, trois, parfois quatre à la fois. Je m'étais dit que ces victoires étaient un signe : si je gagnais toutes les parties, cela voulait dire que l'opération réussirait et que maman sortirait de l'hôpital guérie. Tes défaites successives ne semblaient pas t'irriter, tu étais résigné, comme si j'étais vraiment trop forte pour toi. Peut-être aussi, connaissant mes superstitions, avais-tu décidé de me laisser gagner, cherchant dans mon espoir d'enfant un refuge pour calmer tes propres inquiétudes ?

Lorsque le téléphone a enfin sonné, vers vingt-deux heures, tu t'es levé brusquement pour aller répondre. Tu tenais le combiné pressé contre ton oreille, comme si tu ne voulais pas que j'entende la voix du médecin. Je t'ai vu pâlir, j'ai vu ton visage se désagréger, comme un dessin sur le sable que la marée peu à peu efface. Les mots que j'avais tant redoutés, que je m'étais tant de fois répétés dans mes prières, pour les emprisonner, pour m'assurer qu'ils ne voient jamais le jour, ces mots qui ouvraient un abîme en moi chaque fois que je laissais ma conscience s'en approcher, « maman est morte », tu ne les as pas prononcés. Tu m'as regardée et, sûr que j'avais compris, tu as simplement répété les paroles du médecin : « Le cœur n'a pas tenu. »

*   *   *

Finalement, le commissaire Ben-Ami rappelle. Voilà trois jours que Daniel lui laisse message sur message. « Désolé, monsieur Benzaken, rien de nouveau pour l'instant. Nous vous tiendrons informé. » Le commissaire est toujours aussi poli ; d'autant plus aimable, se dit Daniel, qu'il n'a rien à lui apprendre. Daniel insiste : « Mais, tout de même, vous devez bien avoir une idée ? Est-ce que… Est-il possible qu'on l'ait enlevée ? Peut-être… Si elle avait eu un accident… Quelqu'un a sûrement dû l'apercevoir… » À l'autre bout du fil, long silence. Le commissaire ne veut pas, en interrompant Daniel, donner prise à ses critiques. « Monsieur Benzaken, dit-il finalement d'une voix lasse, je comprends votre inquiétude, n'en doutez pas. Pour l'instant, aucune hypothèse n'est exclue. Notre réseau tout entier a été mis en état d'alerte. La photo de Sara circule dans tous les postes de police du pays. Dès que nous aurons du nouveau, nous vous préviendrons. »

*   *   *

Voilà une semaine qu'il est à Jérusalem et, pourtant, Daniel vit toujours à l'heure de Montréal. Levé dès l'aube, il est le seul client au restaurant de l'hôtel. Il mange sans appétit, sans plaisir et, donc, sans culpabilité. Il mange parce qu'il le faut, parce que Sara a besoin de lui. Sa pensée ne s'aventure pas plus loin. « Il est arrivé quelque chose à Sara. » Il ne faut pas donner de chair à ces mots. Peut-être, tout compte fait, ne s'est-il rien produit de grave ? Un simple malentendu. Elle pensait l'avoir mis au courant qu'elle partait en voyage, elle avait perdu son téléphone, et voilà tout.

Le rêve qui l'a si violemment arraché au sommeil l'accompagne encore. La présence de Leila, surtout, continue de l'envelopper, comme une créature de conte de fées, désirée et crainte à la fois, qui s'attarde un instant dans la chambre de l'enfant, une fois le livre refermé et la lumière éteinte. Daniel revoit son rêve. Il est dans le bureau du commissaire Ben-Ami. Ce dernier déplace des piles de dossiers sur son bureau. Puis, il s'assoit enfin, pose sur Daniel un regard sévère et solennel :

— Je regrette de vous informer, monsieur Benzaken, que votre fille est en état d'arrestation.

— Qu'est-ce que ça signifie ? Qu'est-ce qu'elle a fait ?

— Je ne suis pas autorisé à vous le dire, malheureusement. Cela pourrait compromettre l'enquête. Sachez seulement que… si elle est reconnue coupable, elle risque la prison.

— Je ne comprends pas… C'est sûrement un malentendu…

— Inutile de spéculer, monsieur Benzaken. Sara doit comparaître devant le juge demain. Dès que nous en saurons plus, nous vous préviendrons, bien sûr.

Et le commissaire le raccompagne à la porte en lui tapotant le dos d'un geste amical. Dans le couloir, Leila l'attend. Elle porte un tailleur sombre, un chapeau et des gants noirs. Daniel pense : une femme endeuillée.

Leila lui prend la main, l'enveloppe de ses doigts gantés, huître blanche prisonnière complice d'une huître noire. Elle lui adresse le sourire affectueux des premiers temps, celui qu'elle lui offrait lorsqu'il venait la rejoindre le soir, les mois qui avaient suivi leur rencontre. Dans son regard, pourtant, Daniel en est sûr, il n'y a pas que de la tendresse. Leila demeure silencieuse, mais c'est comme si elle avait déjà tout dit : « Pourquoi t'es-tu laissé faire ? Ce commissaire n'a pas le droit de nous cacher la vérité. Nous devons savoir, Daniel, nous devons tout faire pour aider notre fille. »

Dans la salle à manger de l'hôtel, Daniel se force à boire un jus d'orange tout en repassant dans sa tête le scénario du rêve. Depuis la disparition de Sara, le souvenir de Leila l'accompagne souvent, comme une apparition bienveillante. C'est une présence sans couleur, sans texture, la certitude, seulement, qu'un être est là, qui l'observe, devine ses pensées, épouse ses mouvements. Dans le silence, elle le retient, l'empêche de s'abîmer entièrement en lui-même ; comme Sara qui, les dimanches matin, avait l'habitude de pénétrer à pas de loup dans l'atelier où il peignait et qui, assise sur un tabouret, épiait chacun de ses gestes, arrimait son regard à chaque coup de pinceau.

Maintenant, Leila s'est immiscée jusque dans ses rêves. Elle aussi attend des réponses. Ils portent tous les deux le poids de l'inquiétude et, dans cette angoisse partagée, Daniel retrouve l'intimité agitée des premières années, lorsque, penchés au-dessus du berceau de Sara, ils attendaient que la fièvre tombe. Dans la pénombre qui l'enserre peu à peu, Daniel n'est plus aussi seul, même si la voix qui s'achemine vers lui n'est qu'une créature de sa conscience.

*   *   *

Jérusalem, le 20 octobre 2008
Dans son livre Jérusalem, capitale de la mémoire, *l'écrivain Amos Elon décrit Jérusalem comme « la ville aux trois sabbats » : vendredi pour les musulmans, samedi pour les juifs et dimanche pour les chrétiens. J'aime bien cette idée : la semaine de quatre jours !*

Jérusalem, le 21 octobre 2008
Ce n'est que longtemps après sa mort que papa a commencé à me parler de maman. Au début, notre seule préoccupation était de continuer, de ne pas nous laisser entraîner dans l'abîme qui s'était ouvert devant nous. Je me souviens, ma première pensée, en me réveillant le matin, était toujours : il faut que je tienne jusqu'à ce soir. Je me donnais des tâches et je consacrais toute mon énergie à les accomplir : aujourd'hui, je dois ranger ma chambre, faire les courses en revenant de l'école, répondre aux lettres de condoléances. L'avenir, où j'avais mis tous mes rêves, s'était refermé. Il n'y avait plus que l'infime présent : le repas à préparer pour papa et moi, les leçons à apprendre, les devoirs à terminer.

Les sentiments contradictoires et violents qui se bous-

culaient en moi, comment aurais-je pu les partager avec papa sans craindre de lui faire perdre pied ? Comment aurais-je pu lui dire la peur qui m'enveloppait au moment de m'endormir, parce que je redoutais la présence fugace de maman dans mes rêves et sa disparition encore plus tranchante à mon réveil ? Comment lui avouer que, tous les matins, sur le quai du métro, je me disais : « Voilà, si je voulais, je pourrais en finir tout de suite, sans douleur, sans effort » ? Résultat, papa et moi parlions très peu. Nous étions trop abandonnés pour nous sentir unis. Il y a des malheurs qui rapprochent ; la mort de maman nous avait éloignés.

Il a fallu plusieurs années avant que nous commencions à partager nos souvenirs. Nous passions devant un marchand de bonbons, par exemple, et il me disait : « Tiens, des Carambar ! Tu te souviens comme maman adorait les Carambar ? » Et, pour lui faire plaisir, je proposais d'en acheter et je faisais semblant de les aimer, moi aussi. Je profitais de ces moments pour lui poser des questions, pour découvrir ce qu'ils avaient été avant ma naissance.

C'est ainsi que papa m'a raconté leur première rencontre. Il terminait son doctorat en histoire de l'art et passait de longues heures à lire, grugeant sur ses heures de sommeil. Son œil gauche s'était enflammé et, vers une heure, une nuit d'hiver, il s'était rendu dans une pharmacie de la Côte-des-Neiges, à la recherche d'un remède. Il avait à peine remarqué la jeune femme aux cheveux noirs derrière le comptoir. Lorsqu'elle avait approché son visage du sien pour regarder son œil, il n'avait pas constaté qu'elle *lui souriait. Et quand elle lui avait expliqué qu'il n'avait rien de grave, qu'il ne s'agissait que d'une légère irritation, il l'avait écoutée distraitement. Il ne songeait qu'à payer le flacon de gouttes qu'elle lui tendait et à rentrer chez lui pour terminer son chapitre.*

Ce n'est que quelques semaines plus tard, après avoir déposé sa thèse, que le souvenir de la jeune pharmacienne a refait surface. « Soudain, m'expliquait papa, je me suis souvenu qu'elle avait les yeux verts et qu'elle portait un parfum à la vanille. Toutes sortes de détails me sont revenus. Je me suis rappelé ses doigts longs et fins et ses narines qui s'écartaient légèrement lorsqu'elle examinait mon œil. Peut-être parce que j'étais soulagé d'avoir terminé mon doctorat, ou peut-être parce que je ne savais plus, après ces longs mois d'efforts, où diriger mon esprit, je me suis mis à penser à elle tous les jours. C'était une sorte de coup de foudre rétrospectif, un amour à retardement. Tout ça était absurde, bien sûr. Dans mes moments de lucidité, je me disais qu'elle ne se souviendrait probablement même pas de moi. Mais l'image de son visage, amplifiée par mes pensées oisives, continuait de revenir. »

Il est donc retourné à la pharmacie. Cette fois, elle était occupée avec un autre client. Comment allait-il l'aborder ? Que pouvait-il lui dire ? « Bonjour, vous vous souvenez de moi ? » Elle lui sourirait peut-être, mais après ? Il ne pouvait tout de même pas l'inviter à boire un verre comme ça, de but en blanc. Alors, sans vraiment réfléchir à ce qu'il faisait, il s'est mis à se frotter l'œil gauche vigoureusement pour qu'il redevienne rouge. Puis, il s'est approché du comptoir où se tenait la jeune femme. Elle l'a

tout de suite reconnu. « Ça ne va pas mieux, on dirait. »
Cette fois, il avait remarqué son sourire, teinté d'une
pointe d'ironie. « Vous savez, vous devriez arrêter de frotter votre œil comme ça, vous ne faites qu'empirer les
choses. » Papa n'a pas su quoi lui répondre. Toute sa vie,
m'a-t-il dit en guise d'explication, il avait toujours été
incapable de faire les premiers pas. Alors, il est reparti avec
un autre flacon en se maudissant de ne pas avoir eu plus
d'audace.

Il a continué ce petit manège pendant quelques jours,
en prenant soin de bien se frotter l'œil avant d'entrer dans
la pharmacie, et sans se rendre compte que la femme aux
cheveux noirs n'était pas dupe. Finalement, c'est elle qui a
pris les devants : « Vous savez, vous n'avez pas besoin de
vous faire mal à l'œil comme ça. Si vous êtes libre ce soir,
pourquoi ne m'invitez-vous pas plutôt à prendre un
verre ? »

Jérusalem, le 22 octobre 2008
Quand maman est tombée malade, la prière est devenue
mon refuge. Au début, je priais pour « mettre toutes les
chances de mon côté ». Chaque bénédiction était un poids
de plus sur le plateau de la balance qui retiendrait maman
du côté de la vie. Je récitais les versets du Coran que je
connaissais, ceux que maman prononçait elle-même tous
les matins. Je les avais si souvent répétés qu'ils auraient pu
s'enchaîner rapidement, sans effort. Mais je me refusais à
tout exercice mécanique. Il fallait non seulement que
chaque parole soit énoncée de manière sincère, mais que je
m'imprègne entièrement de son sens. Chaque mot était

une main tendue vers Dieu, chaque invocation de son nom un appel qui retenait sa présence. Et si, une fois, j'étais distraite par un oiseau qui venait se poser sur le bord de ma fenêtre ou par le réveille-matin de papa, je devais tout recommencer. Puis, c'était la prière en hébreu. Debout, les pieds joints, je récitais les dix-huit bénédictions et je répétais plusieurs fois la huitième : « Béni sois-tu mon Dieu, notre Dieu, maître du monde, toi qui guéris les malades. »

Mais il ne m'a pas écoutée. Toutes ces heures pendant lesquelles je sentais sa présence si vivante en moi n'ont été que des moments perdus. Je suis demeurée seule, emprisonnée dans une parole qui n'est jamais sortie de mon cœur.

Longtemps, Abraham a vécu, la voix de Dieu ouvrant chaque jour un peu plus le regard de sa conscience.

Après des années de plénitude, pourtant, les questions se sont frayé un chemin en lui.

La présence de sa parole ne lui suffit plus. Il réclame un signe.

Abraham a brisé les dieux de pierre, ces subterfuges de l'au-delà où se réfugient les désirs des hommes.

Ce qu'il a vu, il l'a donné à ses frères en partage.

« Dieu n'est pas là où vous le cherchez. Dieu n'est pas cette chose, et la chose, si belle, si entière, si élevée soit-elle, ne vous rapprochera jamais de Lui.

« Oubliez ces formes. Fermez les yeux. Laissez venir à vous la parole qui n'est pas la parole de l'homme. »

Abraham a vécu, le murmure de Dieu attaché à ses pas.

Le doute, cependant, continuait de creuser ses veines en lui.

Cet appel, qui l'avait arraché aux siens, ne venait-il pas, au fond, de lui-même? Cette voix, à lui destinée, n'était-elle pas celle de l'homme Abraham?

« Que serait ce Dieu, source de mon regard, si j'en étais l'auteur ? »

Une fois née dans son cœur, l'angoisse ne le quitte plus.

Le sourire de Sarah, qui autrefois le ramenait au monde et lui redonnait confiance, ne fait que l'irriter, geste de bonté auquel lui seul sait qu'il n'a pas droit.

Abraham s'éloigne. Il marche pendant trois jours et trois nuits, presque sans se reposer.

Seul, il se réfugie sur le mont Moriah. Là-haut, la brume, lourde des odeurs de la terre, le rappelle un moment à lui-même.

2

Immobile, Daniel ne peut détacher son regard de la main du professeur Oren, qui l'invite à s'asseoir en face de lui. Il contemple ces longs doigts osseux, ces ongles rongés, ce poignet énergique dont les veines protubérantes forment, avec une netteté surprenante, la lettre aleph, la première lettre de l'alphabet hébraïque. Daniel fixe la main du professeur parce qu'il redoute son regard. Cette compassion qui apparaît sur tous les visages — une empathie à la fois curieuse et détachée —, il a appris à la reconnaître, depuis une semaine qu'il est en Israël. Elle lui est insupportable.

Pourtant, le sourire de Shlomo Oren est empreint d'une chaleur sincère :

— Je ne sais pas quoi vous dire, monsieur Benzaken... je ne comprends pas. Sara n'est pas du genre à partir sans donner de nouvelles, il me semble.

— Non, en effet.

— Vous avez parlé au commissaire de police, je suppose. Que vous a-t-il appris ?

— Pas grand-chose. Ils ont ouvert une enquête mais, pour le moment, ils n'ont aucune piste. Du moins, c'est ce que le commissaire m'a laissé entendre.

— Comme vous le savez probablement, Sara et moi nous rencontrons tous les mardis. C'est la première fois qu'elle manquait un rendez-vous.

— Oui... Savez-vous s'il s'est produit... s'il y a eu un changement qui pourrait expliquer...?

— Pas vraiment. Sara est plutôt discrète... Mais elle a plusieurs amis, elle n'est pas du tout isolée. Ces derniers temps, je l'ai souvent vue avec un étudiant palestinien. Un grand barbu un peu rêveur.

— Oui, je suis au courant. Il semble, d'après la police, qu'il ait disparu lui aussi.

Le professeur Oren paraît surpris :

— Ah bon? Ils sont peut-être ensemble, alors?

— C'est possible. Vous le connaissez, cet étudiant?

— Oui, un peu. Il s'appelle Ibrahim. Ibrahim Awad. Il n'a suivi qu'un cours avec moi. C'est un drôle de personnage, toujours le nez plongé dans un livre. Il parle un hébreu impeccable et peut vous réciter des chapitres entiers de la Bible et du Coran... À la fin du trimestre dernier, il m'a remis un essai étrange et fascinant dans lequel il s'ingéniait à démontrer que le personnage biblique d'Abraham était torturé par le doute et que le fameux sacrifice d'Isaac n'était rien d'autre qu'un défi lancé à Dieu pour le conjurer de prouver son existence...

— Sara ne m'a jamais parlé de lui.

— Vraiment? Pourtant, depuis qu'ils se sont rencontrés, ils sont pratiquement inséparables.

— Avant Ibrahim, Sara était avec quelqu'un, un certain Avner. Vous le connaissez?

— Je les ai vus quelques fois ensemble… Il venait la chercher de temps à autre après ses cours. Il avait un restaurant. Plusieurs restaurants, même… Peut-être devriez-vous parler à la colocataire de Sara. Elles sont très proches. Il y a aussi Tamar, une autre de mes étudiantes. Sara et elle étaient compagnes de chantier lors de notre dernière expédition à Khirbet Qeiyafa.

Daniel lève les yeux vers le professeur Oren. Ce dernier le regarde d'un air détaché. Par pudeur, il ne veut pas laisser voir à Daniel qu'il reconnaît sa détresse.

*   *   *

Jérusalem, le 24 octobre 2008
Conversation entendue dans un café. Cinq ou six touristes britanniques, assis au bar, derrière moi. L'un d'eux demande : « And you, what do you do ? » Une voix d'homme répond : « I do a little bit of everything and a lot of nothing. » J'ai voulu me retourner pour voir son visage, mais je n'ai pas osé.

Jérusalem, le 25 octobre 2008
Ce matin, je me suis réveillée très tôt. Il devait être cinq heures, il faisait encore noir. Je me suis habillée en vitesse et je me suis dirigée vers le quartier arabe. Mes pas résonnaient dans les allées étroites au bout desquelles j'apercevais des ombres affairées, un homme courbé portant sur son dos des sacs remplis d'épices ou de fruits secs, deux

femmes tenant un conciliabule sous le porche d'une mai-
son. J'ai marché jusqu'à la porte de Damas, puis je suis
revenue sur mes pas. Le jour commençait à poindre, et
quelques marchands avaient déjà ouvert leur échoppe.

Au détour d'une allée, près de la rue El-Wad, je me
suis arrêtée pour regarder des jeux de trictrac dans une
petite boutique où l'on vendait toutes sortes d'objets en
bois. Des boîtes de différentes tailles, des bols à salade, des
gobelets, des porte-plumes, des bilboquets : les étagères
regorgeaient de bibelots plus ou moins utiles desquels se
dégageait une pénétrante odeur de résine. Un homme au
regard affable s'est approché de moi. Dans un anglais
approximatif, il m'a demandé si le jeu de trictrac m'inté-
ressait. Il m'avait prise pour une touriste. Plus pour le
détromper que parce que je voulais acheter le jeu, je lui ai
répondu en arabe : « Combien est celui-ci ? » Ses traits se
sont soudain détendus, comme s'il venait de reconnaître
une voix familière, et il m'a demandé d'où j'étais. Je lui ai
expliqué que ma mère était libanaise, que j'étais née à
Montréal et que j'étais venue à Jérusalem pour étudier. La
conversation s'est engagée, il m'a posé plusieurs questions
sur le Canada, sur la vie en Amérique, sur les Palestiniens
que j'y connaissais. Je sentais en lui une curiosité si natu-
relle, si dénuée d'arrière-pensée, que je me suis laissée aller
à lui parler de mes études, de mes doutes, de mes projets
d'avenir. Et, constatant que je n'hésitais pas à m'ouvrir à
lui, il m'a raconté son histoire.

Après la Nakba, en 1948, les trois frères de son père,
tous des commerçants de Jérusalem, s'étaient réfugiés en
Jordanie. Son père avait été le seul à rester, malgré les

menaces, malgré la violence. *Grâce à sa persévérance, il avait pu conserver sa maison, à quelques rues de la boutique. L'homme m'a expliqué qu'il n'avait que dix ans au moment de la Nakba, mais qu'il se souvenait encore des nuits passées dans la cave, blotti avec ses frères sous une couverture humide, à attendre que les combats cessent. Sa mère était morte en donnant naissance à sa petite sœur quelques années plus tard, et son père les avait élevés seul. Il m'a ensuite interrogée sur ma mère, sa famille, sa vie au Liban. Je sentais dans ses yeux une curiosité pleine de sollicitude. Il s'attachait, comme s'il refusait de voir en moi une simple étrangère, aux moindres détails qui pouvaient nous lier : la langue, l'histoire, l'exil. Je lui ai raconté le passé de maman, son départ du Liban pendant la guerre civile, sa vie à Paris avec ses parents et son frère, puis son départ pour Montréal, ses études de pharmacie, sa rencontre avec mon père.*

« Et votre père, il est libanais, lui aussi ? » m'a demandé l'homme. « Non, marocain. » Et puis, après une brève hésitation, j'ai ajouté : « Il est juif marocain. » J'ai dit le mot juif, « yehoud », comme pour corriger ma première affirmation, comme s'il avait été inexact de dire simplement qu'il était marocain. En voyant sa réaction, je m'en suis immédiatement voulu. Son regard, si chaleureux quelques minutes plus tôt, s'est glacé ; ses traits se sont durcis, comme s'il avait porté un masque qui, après s'être animé un moment, était revenu à sa rigidité habituelle.

Pourtant, je n'aurais pas dû m'en vouloir. Après tout, je n'avais cherché qu'à être sincère. Comment se fait-il que certaines personnes se sentent trahies précisément lorsqu'on leur dit la vérité ? Si, d'emblée, j'avais tenté de lui expliquer mon double attachement, m'aurait-il mieux comprise ?

Il y a des mots qui, une fois prononcés, vous emportent bien au-delà de ce que vous avez voulu leur faire dire. « Yehoud. » Il m'avait suffi de dire à cet homme que mon père était juif pour dresser un mur entre lui et moi. Ce mot, à lui seul, signifiait : « Nous sommes des étrangers ; je ne veux rien savoir de ta vie, et tu n'as pas à connaître la mienne. » Et son silence, je le sentais plein de rancœur : « Toi et ton peuple, vous n'éprouvez que haine à mon endroit ; tu parles arabe, tu prétends t'intéresser à mon sort, mais en fait, tu es comme tous les autres, une hypocrite qui veut se donner bonne conscience. »

Je l'ai regardé longuement, cherchant dans son visage fermé une petite brèche, une trace infime de ce qui nous avait, un bref instant, rapprochés. Mais le masque restait impénétrable, alors je l'ai remercié et je suis partie. En cherchant mon chemin dans le dédale des rues de Jérusalem, je me suis demandé qui, de nous deux, avait été le moins fidèle à soi-même : moi qui avais regretté de lui avoir dit que mon père était juif, ou lui qui s'était ouvert, sans le savoir, à une « ennemie de son peuple » ?

Jérusalem, le 26 octobre 2008

Quand les choses sont-elles devenues si compliquées ? Lorsque j'étais petite, je n'avais pas besoin de savoir ce que voulait dire être juive ou musulmane. Avec maman, je me réveillais à l'aube et je la suivais dans sa prière. Avec papa, je lisais des histoires de la Bible : Abraham et la naissance d'Isaac, David et Jonathan, Joseph trahi par ses frères, Deborah, Esther… Je n'en demandais pas plus. Mes journées s'organisaient tout naturellement autour de ces rituels, la Salat al-Sobh *le matin, le* Shema *(la seule prière que papa connaissait par cœur) le soir. Entre l'arabe et l'hébreu, entre les fastueux iftars auxquels nous invitaient les cousines de maman et les repas de Pessah que préparait la mère de papa lorsque nous allions lui rendre visite à Vancouver, il n'y avait, pour moi, aucune rupture. Je ne cherchais ni à me représenter Dieu ni à mettre en doute son existence ; je me contentais de répéter les gestes que maman m'avait appris et, dans mes prières, il était présent.*

Mon existence d'enfant était dominée par mes besoins et je n'avais pour Dieu que des demandes. Les louanges n'avaient pas beaucoup de prise sur moi. Je ne comprenais pas leur utilité. Je me disais : si Dieu est tout-puissant, s'il est autosuffisant, qu'a-t-il besoin de l'admiration et de la soumission des hommes ? Par contre, je trouvais mille raisons d'implorer son aide et son soutien. Je le faisais pour moi-même, pour mes proches, bien sûr, mais pour les autres aussi. À cette époque, j'avais pris l'habitude de regarder le journal télévisé de vingt-deux heures avec papa. Sarajevo, Tchétchénie, Rwanda, tous ces noms de lieux lointains résumaient pour moi la haine, la violence et mon impuissance face aux misères qui s'étalaient devant mes yeux. La prière n'était pas qu'un refuge. C'était un moyen de me convaincre que, secrètement, je pouvais agir ; un moyen de refuser l'indifférence. Les moindres événements étaient devenus un prétexte pour prier. Ce n'étaient pas simplement les catastrophes aériennes, les prises d'otages ou les tremblements de terre qui attiraient mon attention. Il suffisait d'une sirène d'ambulance pour qu'aussitôt je ferme les yeux en murmurant : « Mon Dieu, je t'en supplie, guéris les malades, aide les blessés, recueille l'âme des morts. »

Maintenant, toutes les prières se sont tues en moi. Je continue de me dire que je suis juive, que je suis musulmane, mais dans la pratique, ça ne veut plus dire grand-chose.

*   *   *

De : Daniel
À : Sara
Objet : Des nouvelles
Lundi 27 octobre 2008, 7 h 24

Ma chérie,
J'étais content de te parler, hier. Après notre conversation, je suis allé chercher quelques bûches dans la cave et j'ai fait un feu de cheminée.
L'appartement est bien vide sans toi.
J'ai oublié de te dire : jeudi dernier, en sortant de la bibliothèque, je suis tombé sur Stéphane Bensoussan. Tu te souviens ? À une époque, ses parents t'invitaient souvent à souper le vendredi soir. Ça fait un bout de temps que vous ne vous êtes pas revus, je crois. Il m'a posé beaucoup de questions sur toi mais, je te rassure,

je suis resté très discret. Il m'a appris qu'il est en troisième année de médecine dentaire. C'est drôle, je l'imaginais plutôt en philo ou en littérature…

Aux États-Unis, la campagne électorale bat son plein. La fièvre semble s'être emparée de plusieurs de mes collègues. Ils spéculent sur une victoire d'Obama et une renaissance américaine. Moi, tu me connais, ces rêves de changement me laissent toujours un peu sceptique.

Je t'embrasse tendrement,

Papa

*   *   *

Shlomo Oren n'en était pas certain, mais il croit que le restaurant d'Avner s'appelle Aux délices de Djerba. « En tout cas, il y a *Djerba* dedans, j'en suis presque sûr », a-t-il affirmé à Daniel. À l'hôtel, ce dernier apprend qu'il existe un restaurant appelé Djerba Palace dans le quartier de Nahalat Shiva. Il saute aussitôt dans un taxi.

La terrasse du restaurant est vide. À l'intérieur, ses yeux, comme à Montréal lorsqu'ils sont soûlés de neige, ne s'habituent pas tout de suite à l'obscurité. Une jeune femme apparaît — tout sourire, toute décolletée — et l'invite à s'asseoir. Il est le seul client. Peu à peu, les détails du décor émergent : sur les murs, une fresque ensoleillée — toits blancs, ciel bleu — empruntée à un magazine touristique sur la Méditerranée ; du plafond, peint en firmament étoilé, pendent des lampions multicolores, semblables à ceux qu'on trouverait dans un restaurant chinois ; sur le sol, de vieux tapis rouge et bleu évoquent vaguement la Turquie ou l'Iran ; au fond, près des toilettes, trône une ottomane en velours bourgogne telle qu'on aurait pu en trouver dans un salon français du XIXe siècle. Bref, celui ou celle qui a agencé cet amoncellement d'objets n'a probablement jamais mis les pieds à Djerba.

La serveuse revient à sa table. Cette fois, Daniel remarque ses yeux, leur curiosité fébrile étouffée par deux paupières somnolentes.

— Vous avez choisi ?

La langueur, la lenteur de son débit évoque la voix d'une actrice de cinéma des années cinquante.

— Un coca. Dites-moi, savez-vous si le propriétaire… Avner… est là ?

La jeune femme pose sur Daniel un regard sévère. Sa curiosité s'est muée en soupçon.

— Vous le connaissez ?

— Oui, enfin, non, pas vraiment… Disons que… Il connaît ma fille.

— Je vais voir s'il est là.

Quelques instants plus tard, la serveuse revient. D'un geste brusque, la tête tournée vers la terrasse, elle pose le verre de coca sur la table.

— Il sera là plus tard.

— Bon, j'attendrai.

De nouveau, il sort son téléphone de sa poche.

C'est le labeur de l'espoir, la superstition, l'angoisse de l'immobilité qui, toutes les dix minutes, l'obligent à appeler, à continuer d'appeler. Tant qu'il compose son numéro, obstinément, aveuglément, absurdement, Sara demeure attachée à lui ; il retient sa présence.

Peu à peu, la terrasse du restaurant se remplit. Un jeune couple, assis à l'ombre d'un parasol, observe en souriant un bébé qui hurle à la table d'à côté. La mère, une femme aux longs cheveux frisés, maquillée, manucurée, regarde le couple, une expression faussement navrée arquant ses sourcils. Le dos tourné à la poussette, elle s'excuse des vagissements de son enfant tout en lui secouant distraitement un hochet devant le visage. Les amoureux — un garçon au regard grave et une jeune femme souriante et plantureuse — tendent les mains vers la mère pour la rassurer : mais pas du tout, ne vous en faites pas, ça ne nous dérange pas, au contraire…

Avant la naissance de Sara, Leila ne se lassait pas, elle non plus, d'observer les bébés des autres. Dans les parcs, sur les terrasses des cafés, elle se penchait au-dessus des landaus, le regard plein d'admiration. Elle, d'habitude si timide, engageait la conversation avec les mères, posait des questions, donnait des conseils. Daniel se laissait entraîner, abandonnant lui aussi son doigt à la main vigoureuse du bébé et se confondant en compliments.

Les amoureux de la terrasse se sont maintenant levés et s'éloignent, enlacés. La certitude présomptueuse dont ils s'enveloppent, cette confiance qui passe outre tous les détails et ne s'attache qu'aux images figées, muettes et blanches de l'avenir — le mariage, l'appartement, les enfants —, Leila et lui l'ont aussi connue. Il leur suffisait, au cours d'une promenade, de croiser une jeune maman, son nouveau-né dans les bras, et, sans avoir besoin de délibérer, de construire, de conjecturer, ils étaient convaincus qu'eux aussi, un jour, seraient parents.

Daniel sursaute. Il n'a pas entendu la serveuse s'approcher. Elle pose sur lui un regard indifférent qui le glace.

— Monsieur Elfassi vient d'arriver. Il sait que vous êtes là.

*   *   *

De : Sara
À : Daniel
Objet : Quand viendras-tu à Jérusalem ?
Mardi 28 octobre 2008, 23 h 10

Bonsoir papa,
Tu me manques aussi.
Oui, je me souviens de Stéphane.
Je pense beaucoup au passé, en ce moment. C'est comme s'il avait fallu quitter Montréal, me transplanter dans un pays étranger, pour que soudain je ressente le besoin de recoller ensemble tous les morceaux de ma vie.

J'ai hâte de te voir, papa. Viendras-tu fin décembre?
Je t'embrasse,
Sara

*   *   *

Jérusalem, le 27 octobre 2008
« À Jérusalem, je veux dire à l'intérieur des vieux remparts, je marche d'un temps vers un autre sans un souvenir qui m'oriente. Les prophètes là-bas se partagent l'histoire du sacré… Ils montent aux cieux et reviennent
moins abattus et moins tristes, car l'amour et la paix sont
saints et ils viendront à la ville. »
    Mahmoud Darwich

Jérusalem, le 28 octobre 2008
C'est au moment de la deuxième Intifada, en 2000, que
j'ai commencé à prendre conscience des contradictions qui
s'agitaient en moi. Tant qu'il n'était question que de
prières et de rituels, tout était plus facile. Je m'étais donné
une discipline qui nourrissait ma conscience, qui n'avait
de sens que pour moi et que je n'éprouvais pas le besoin de
partager avec les autres. Mais aussitôt qu'il s'agissait de
mon appartenance à un groupe — la communauté juive
ou musulmane, marocaine ou libanaise —, je me sentais
désorientée.
    Constatant ma curiosité, papa m'avait inscrite à une
école d'hébreu, un Talmud Torah où je me rendais tous les

dimanches matin pour apprendre quelques rudiments de religion et d'histoire juives. Dirigée par un vieux rabbin aigri et rabougri, l'école ne comptait qu'une douzaine d'élèves, un groupe disparate d'enfants de tous âges qui le regardaient d'un air ennuyé en attendant le moment où ils pourraient enfin rejoindre leurs amis au parc. Les cours du vieux professeur, dénués de toute structure apparente, consistaient à nous faire répéter ad nauseam des versets de la Torah et à nous apprendre des listes de vocabulaire. Il nous enseignait aussi les mitzvot, et chaque fois que l'un d'entre nous s'aventurait à lui demander pourquoi il était interdit de manger des fruits de mer ou d'allumer la lumière le jour du shabbat, il fronçait les sourcils et répondait à l'insolent en approchant lentement son visage tout près du sien : « Parce que le Saint, béni soit-Il, nous l'a commandé, voilà pourquoi. »

J'étais assise à côté d'un garçon de mon âge, un Juif marocain dont les parents venaient d'arriver à Montréal. Il s'appelait Stéphane Bensoussan et dans ses yeux cernés et tristes je croyais déceler la nostalgie de Meknès, la ville où il était né. Le rabbin nous avait placés tous les deux au fond de la classe, moi parce que j'étais une fille — la seule du groupe — et lui parce qu'il posait trop de questions. Puisque le professeur avait décidé de nous ignorer, il était naturel que nous lui rendions la pareille et nous passions le plus clair de notre temps à chuchoter et à échanger des caricatures. Stéphane me parlait de son école, qu'il détestait, de ses parents, dont il avait honte, et de sa grande sœur, avec qui il se disputait constamment.

De temps à autre, il m'invitait à souper chez lui le

vendredi soir. Je n'ai que de vagues souvenirs de ces repas de shabbat. Je me rappelle simplement la voix monotone et plaintive du père lorsqu'il récitait le Kiddouch, la bénédiction du vin, le sourire mélancolique de la mère qui insistait pour que je reprenne de la salade de tomates, les regards mauvais que s'échangeaient Stéphane et sa sœur au-dessus de la table. J'avais le sentiment que seule ma présence les empêchait de s'écorcher vifs et que je n'avais été invitée que pour apporter quelques instants de répit à leur quotidien tumultueux.

Après le repas, nous nous installions tous devant la télé pour regarder des émissions de variétés françaises. Pour moi, qui ne connaissais que Michel Fugain et Joe Dassin, ces défilés de vedettes étaient fascinants. J'écoutais, captivée, ces stars vieillissantes au visage lisse, figé en un éternel sourire, raconter leur combat contre l'alcool, leur victoire contre la dépression, leur bonheur retrouvé. De temps à autre, la mère de Stéphane penchait doucement la tête vers moi pour m'expliquer qui était le troisième mari d'une telle et pourquoi tel autre refusait de parler à son père depuis dix ans.

Stéphane, lui, nous regardait tous d'un air consterné, ricanait chaque fois qu'une de ces célébrités se rendait ridicule et finissait, un peu contre mon gré, par m'entraîner dans sa chambre. Là, nous parlions de Jules Verne, il me montrait son télescope, me désignait les constellations et m'expliquait la naissance des étoiles. Je ne comprenais pas tout, mais j'étais touchée par son enthousiasme et sa candeur. Je ne me souviens pas si nous nous sommes embrassés, mais je crois le revoir, debout derrière moi alors que j'avais l'œil crispé sur l'orifice du télescope, posant sa main sur mon épaule. Il me semble qu'à ce moment-là il s'est produit quelque chose, mais je n'arrive ni à revoir son visage ni à imaginer sa bouche s'approchant de la mienne. Peut-être ne s'agit-il après tout que d'un rêve diffus qui, profitant de ma mémoire défaillante, cherche à se faire passer pour un vrai souvenir.

Et puis, un jour, tout s'est effondré. C'était un vendredi soir, vers la fin du mois de septembre 2000, au début de ce qui allait devenir la deuxième Intifada. À une question de Sandrine, la sœur de Stéphane, le père s'était lancé dans une longue explication où il vilipendait Arafat, les Palestiniens, les Arabes. C'était une enfilade de clichés que j'avais souvent entendus : les Arabes, on ne peut jamais leur faire confiance, on leur donne la main et ils demandent tout le bras, tout ce qu'ils comprennent, c'est le langage de la violence, etc. Nous l'écoutions tous en silence. Même la mère de Stéphane, qui d'habitude approuvait tout ce qu'affirmait son mari en faisant oui de la tête, se tenait immobile, les yeux fixés sur son assiette. Je jetais quelques coups d'œil furtifs vers Stéphane, espérant qu'il intervienne, qu'il exprime son désaccord, mais lui non plus ne réagissait pas. Et soudain, alors que j'avais toujours été accueillie si chaleureusement dans cette famille, je me suis sentie étrangère. J'étais une intruse, trahie parce que j'avais le sentiment que tous partageaient les idées de cet homme et traître aussi parce que je n'avais jamais eu le courage de m'ouvrir entièrement à eux sur ce que j'étais. J'avais honte, je me sentais impuissante, prisonnière de cette image tronquée que je donnais de moi-même. Une

colère sourde me serrait la gorge. J'arrivais à peine à retenir mes larmes. J'aurais eu envie de crier : « De quel droit
parlez-vous ainsi des Arabes ? Que savez-vous d'eux ?
Qu'est-ce qui vous fait penser que vous valez mieux
qu'eux ? » Je pensais à ma mère, qui commençait à souffrir
des premiers symptômes de sa maladie. C'était elle aussi
que je trahissais en me taisant. J'en voulais à Stéphane et à
sa famille mais, plus encore, c'était contre moi-même que
j'étais en colère, parce que j'avais honte — honte d'être
arabe et de m'être laissé insulter, honte d'être juive et de ne
pas avoir su répondre à cet homme qui était mon semblable.

Je me suis souvent imaginée, plus tard, expliquer à
Stéphane que ma mère était musulmane, qu'elle me parlait en arabe, qu'à la maison nous célébrions le shabbat
mais aussi le ramadan et Aïd-el-Fitr. Je le prendrais à part,
après le cours d'hébreu, et je lui raconterais mon histoire,
celle de mes parents, de leur rencontre, de ma naissance. Je
lui expliquerais qu'ils ne s'étaient jamais mariés, que la
religion les en avait empêchés, mais qu'ils étaient au-dessus de ces différences et que, leur appartenance, ils l'avaient
trouvée ailleurs. Cependant, j'avais beau répéter ce scénario dans ma tête, je ne trouvais pas les mots justes. Et surtout, je n'arrivais pas à me représenter sa réaction. Je ne lui
faisais plus confiance.

Après les grandes vacances, maman a été hospitalisée
et je ne suis plus retournée au cours du dimanche. Stéphane n'a pas cherché à me contacter, et moi non plus.

*   *   *

— Que puis-je faire pour vous?

L'homme qui s'est approché de sa table pose sur Daniel un regard doux qui contraste avec sa stature imposante. Il sourit de toutes ses dents.

Daniel fait mine de se lever, serre la main que lui offre Avner et l'invite à s'asseoir.

— Je m'appelle Daniel Benzaken. Je suis le père de Sara…

Le visage d'Avner se rembrunit. Si Daniel avait touché sa main, peut-être l'aurait-il sentie trembler légèrement.

Mais l'expression d'Avner se mue bientôt en un sourire douloureux.

— Ah, je vois.

— Vous connaissez Sara…

— Bien entendu. Nous sommes sortis ensemble pendant quelque temps.

Daniel scrute le visage d'Avner, son sourire désarmant. Il ne paraît pas inquiet, mais son regard est empreint d'une tristesse résignée.

— Vous savez…

Daniel hésite. Il ne veut pas dire « Sara a disparu ». Il n'aime pas le caractère brutal, définitif de cette affirmation. « Sara a disparu », c'est admettre qu'il lui est arrivé quelque chose, qu'elle a été victime d'un accident, qu'elle a été attaquée ou enlevée.

C'est Avner qui prend les devants:

— Oui, je suis au courant. Un inspecteur de police m'a rendu visite il y a quelques jours.

— Je me disais que vous saviez peut-être quelque chose, que Sara aurait pu vous contacter…

— Non, je n'ai pas de ses nouvelles. Je ne l'ai pas revue depuis notre séparation… ou à peine quelques téléphones anodins.

— Vous n'avez aucune idée où elle pourrait être ?

Immédiatement, Daniel se reprend :

— Je m'excuse d'insister… vous comprenez… j'ai l'impression que l'enquête piétine… et comme vous connaissez bien Sara…

— Mais bien sûr, je comprends tout à fait.

Avner pose sa main sur le bras de Daniel d'un geste rassurant, presque paternel. Il poursuit :

— Sara et moi nous sommes quittés en bons termes, mais nous ne sommes pas réellement restés en contact.

Daniel lance vers Avner un regard inquisiteur mais, conscient que leur entretien risque à tout moment de se transformer en interrogatoire, il préfère garder le silence. À nouveau, c'est Avner qui prend l'initiative :

— Vous voulez savoir ce qui s'est passé entre nous, n'est-ce pas ?

Puis, sans laisser le temps à Daniel de répondre, il s'empresse d'ajouter, en lui tapotant doucement le bras :

— Non, non, ça ne fait rien, c'est tout à fait naturel. Je vais vous dire : Sara et moi n'étions pas faits l'un pour l'autre. Nous étions de bons amis… J'ai encore beaucoup d'affection pour Sara, vous savez. C'est une personne pleine de qualités, très généreuse. Mais les choses étaient un peu compliquées, trop compliquées pour moi. Sara se pose beaucoup de questions, elle se cherche, comme on dit. Moi, j'aime les choses simples. Une famille, des enfants, un bon boulot, je n'en demande pas plus. Sara… Elle ne sait pas très bien ce qu'elle veut, je pense. Et puis… si vous voulez mon avis, elle a de drôles de fréquentations. Des gens… très franchement, ils n'ont pas une bonne influence sur Sara. Elle vaut beaucoup mieux.

— Que voulez-vous dire ?

— Écoutez, je ne veux dire du mal de personne.

Avner place son index sur ses lèvres, comme un enfant mimant une comptine :

— « *Lachon Hara* », « mauvaise langue », comme on dit en hébreu.

Après un moment de silence, il poursuit pourtant :

— Mais… étant donné les circonstances, je dois quand même vous confier… Cette Samira, une Palestinienne… C'est une fille bizarre. Sara me parlait d'elle avec une telle fascination, elle était comme subjuguée. Tout ce que déclarait Samira, ses opinions, ses lectures, ses convictions politiques… Sara acceptait tout ce qu'elle disait, sans discernement, sans aucun sens critique. Remarquez bien, ce ne sont que des impressions. Sara a peut-être pris ses distances depuis, ça fait plusieurs mois que nous ne nous sommes pas parlé.

— Savez-vous si Samira habite toujours au Mont Scopus ?

— J'imagine que oui… Il faut quand même que

vous sachiez… Et puis, non. Ce n'est pas à moi de… Ce ne sont que des conjectures, après tout…

— Que voulez-vous dire ? De quoi s'agit-il ?

— La police ne vous a pas parlé de lui ?

— De qui ?

— Eh bien, de ce type, cet Arabe… Sara et lui…

— On m'a mentionné, en effet, sa relation avec un étudiant palestinien. Est-ce à lui que vous faites allusion ?

— Peut-être. Tout ce que je sais, c'est que… Enfin, il y a des bruits qui courent à son sujet…

— Quel genre de bruits ?

— Vous savez, en Israël, tout est très compliqué… Depuis combien de temps êtes-vous ici ?

— Je suis arrivé il y a un peu plus d'une semaine. Pourquoi ?

Avner sourit. Un sourire qui serait condescendant si on n'y décelait pas une pointe de douleur. Le sourire compatissant d'une mère qui cherche à consoler son garçon de dix ans de sa première peine d'amour.

— Ne le prenez pas mal, monsieur Benzaken, mais… vous avez encore beaucoup à apprendre. Ce type, ce Palestinien, que savez-vous de lui ?

— Je… Pas grand-chose, en fait. Ils ont suivi un cours ensemble à l'université…

— Est-ce que Sara vous a parlé de lui ?

— À vrai dire, non…

— Et ça ne vous paraît pas étrange ?

— Non… Enfin, je ne sais pas. Elle n'a pas besoin de tout me dire.

— Écoutez, monsieur Benzaken...

Avner écarte son verre, pose ses coudes sur la table et approche son visage de celui de Daniel. Sa voix est grave, retenue :

— Je ne sais pas qui est cet individu, je ne l'ai jamais rencontré. J'ai simplement entendu dire que sa famille avait été associée... disons... à des activités suspectes. Croyez-moi, je ne veux pas vous inquiéter inutilement. Je comprends tout à fait votre situation. Mais, si j'étais vous, je tenterais d'en savoir plus long.

Daniel contemple, immobile, la terrasse du restaurant. Son regard suit la serveuse, ses gestes brusques, ses sourires factices ; il absorbe les derniers rayons du soleil traversant comme des vitraux les bouteilles vertes et bleues posées sur les tables ; il glisse distraitement sur le visage d'un enfant éploré à qui on a refusé une glace. Mais aucune de ces impressions n'imprègne sa conscience. Daniel ne sait plus quoi penser. Samira, Ibrahim, Avner... Des pans entiers de la vie de Sara qui se dévoilent peu à peu. Lorsqu'ils se parlaient au téléphone, Sara n'évoquait que ses cours, sa recherche. Pourquoi n'a-t-il pas été plus perspicace ? Au lieu de lui parler de sa peinture, de ses conférences, de ses tracas à l'université, il aurait dû lui poser plus de questions, s'enquérir de ses fréquentations, de ses amis, de sa vie sentimentale. Mais Sara n'aime pas se confier. En tout cas, pas au téléphone. Maintenant, il regrette de ne pas être venu la voir en décembre. Qu'importe s'il avait une jambe dans le plâtre. Il aurait quand même dû faire l'ef-

68

fort. Sara et lui auraient eu de vraies conversations. Il se serait rapproché d'elle, il aurait partagé son quotidien. Si elle était inquiète, il l'aurait compris, à demi-mot. Il aurait peut-être pu l'aider, la conseiller.

— Ah, Rachel, ma chérie !

Une jeune femme souriante, dont la chevelure blonde et les dents étincelantes tranchent violemment sur sa peau bronzée, la faisant ressembler à une photo en négatif, s'est approchée de leur table. Sans se lever, Avner la prend par la taille et se tourne vers Daniel :

— Monsieur Benzaken, permettez-moi de vous présenter Rachel, ma fiancée.

Daniel serre la main molle et moite de la jeune femme, s'efforçant de sourire, lui aussi. Sans plus attendre, il se lève, remercie Avner et quitte le restaurant.

La nuit tombe. Les rires des couples enlacés, le martèlement des chansons s'élevant des bars, les mobylettes bourdonnant entre les voitures entourent Daniel, qui se laisse un instant porter par cette vie ordinaire, ondulante, enveloppée par les lumières du soir.

Demain, il ira voir Samira.

*   *   *

Khirbet Qeiyafa, le 7 novembre 2008
Voilà près d'une semaine que je suis à Khirbet Qeiyafa, ce site archéologique censé receler les ruines de la ville biblique de Sha'arayim. C'est Shlomo, mon directeur de

recherche, qui supervise les fouilles. Nous sommes une vingtaine de volontaires à nous être joints à l'expédition.

Je n'ai jamais beaucoup aimé les groupes, et celui-ci pas plus que les autres. Mais je commence à m'habituer à cette existence ascétique, remplie d'obligations et de devoirs et presque entièrement dénuée de temps libre. Nous nous réveillons à l'aube, vers cinq heures et demie, et nous nous réunissons sur des tables de pique-nique pour prendre le petit-déjeuner. Nous parlons peu. On dirait que la nuit, comme un lieu sanctifié, nous impose le silence. Nous nous regardons peu aussi, peut-être pour ne pas avoir à reconnaître que nous n'avons rien à nous dire. Puis nous débarrassons, certains font la vaisselle, d'autres essuient et, dix minutes plus tard, nous nous regroupons à quelques mètres du site, où Shlomo nous donne ses instructions pour la journée.

Nous travaillons en équipes de deux ou trois, et je me retrouve souvent avec Tamar, une fille de mon âge qui partage ma tente le soir. Grande, élancée, souriante, elle est tout le contraire de moi.

Grâce à Tamar, je me suis peu à peu rapprochée du reste du groupe. L'après-midi, lorsque nous nous réunissons pour nettoyer les morceaux de poterie que nous avons trouvés pendant la journée, je participe plus volontiers aux conversations. Je ne maîtrise pas encore assez bien l'hébreu pour tout comprendre et, de temps à autre, lorsqu'elle constate qu'une plaisanterie m'a échappé, Tamar se penche discrètement vers moi pour me l'expliquer.

Khirbet Qeiyafa, le 10 novembre 2008
Le soir, allongées côte à côte sous la tente, Tamar et moi
parlons à bâtons rompus jusqu'à ce que le sommeil nous
gagne. Peu à peu, j'ai appris que Tamar avait, elle aussi,
perdu sa mère lorsqu'elle avait quatorze ans, qu'elle
avait un copain à Tel-Aviv mais qu'elle sentait, même
avant de venir étudier à Jérusalem, que leur histoire était
sur le point de se terminer. Deux ou trois fois, elle a fait
allusion à Dov, un des volontaires du groupe. Grand et
mince, les cheveux ébouriffés, il a un sourire joyeux, un
peu moqueur, que dément la mélancolie de son regard.

Tamar a essayé de prendre un ton détaché pour me
demander ce que je pensais de lui. Je lui ai simplement
souri, et elle m'a souri en retour. Je me suis sentie touchée
par cette marque de confiance.

Khirbet Qeiyafa, le 13 novembre 2008
Ce soir, nous nous sommes tous réunis autour d'un feu de
camp. Dov a sorti sa guitare et s'est mis à chanter des airs
des Beatles, des Rolling Stones et de plusieurs chanteurs
israéliens que je ne connaissais pas. De temps à autre,
Tamar me chuchotait leurs noms à l'oreille : Yehuda Poli-
ker, David Broza, Idan Raichel. Peu à peu, les autres se sont
joints à lui. J'ai essayé de fredonner, moi aussi, les paroles
des quelques chansons qui m'étaient familières. Mais le
cœur n'y était pas. Je me suis laissée aller à écouter ces voix
tantôt joyeuses, tantôt tristes et discordantes. Je les écoutais
comme une étrangère qui se promène dans une ville, le soir,
et qui s'arrête pour tenter de reconnaître les airs de musique
qui parviennent, étouffés et lointains, des bars enfumés.

J'aurais voulu pouvoir faire comme les autres, sourire, fermer les yeux, oublier où j'étais, mais je n'arrivais pas à sortir de moi-même. J'avais le sentiment d'être de trop, d'interrompre le fil invisible qui semblait si bien les unir.

Je me suis levée et suis allée m'asseoir sous un arbre, de l'autre côté des excavations. La musique n'était plus qu'un lointain murmure, et seule la brise odorante de la nuit troublait de temps à autre la sérénité des lieux. À mes pieds s'étendait la vallée d'Elah. Le jour, on y distinguait des villages, des maisons de pierre, des oliviers dont les feuilles argentées ondulaient au soleil. Cette lumière, je la sentais encore, vibrante, toute proche, tapie dans la nuit. Il me semblait qu'à tout moment l'obscurité fragile se déchirerait pour révéler à nouveau toutes les couleurs du jour.

J'ai levé la tête vers le ciel. Je n'avais jamais vu autant d'étoiles. Et dans le silence qui se faisait peu à peu en moi, je ne sais pas pourquoi, je me suis mise à penser à maman. Pendant plusieurs années, après sa mort, je me suis empêchée de regarder les photos que j'avais d'elle. Je m'efforçais d'imaginer son visage, de tracer ses traits dans ma tête, de répéter les scènes où je l'avais sentie joyeuse. Je recomposais le scénario du voyage en avion que nous faisions toutes les deux chaque année pour aller rendre visite à mes grands-parents à Paris. Chaque fois, j'avais droit à une surprise — des crayons de couleur, un jeu de cartes, une voiture en Lego — et j'attendais avec impatience le moment de m'asseoir dans l'avion pour pouvoir enfin ouvrir mon cadeau. L'année avant sa mort, pendant le ramadan, nous nous réveillions à l'aube pour manger du pain pita avec du houmous avant la journée de jeûne. Et lorsque je fermais les yeux et que je me concentrais bien, je percevais encore les tonalités plaintives de sa voix, la manière dont elle roulait légèrement le r de Sara en prononçant mon nom. Pour moi, le plus important n'était pas d'avoir beaucoup de souvenirs, mais de pouvoir être sûre qu'il s'agissait bien des miens et non de photographies, pâles et figées, qui seraient venues s'y substituer.

Maintenant, je tente à nouveau de dessiner le visage de maman dans ma tête. Mais j'ai beau fermer les yeux, oublier le monde autour de moi, je n'y arrive pas. Tout ce que je vois, c'est l'image d'une femme à genoux, le front contre le sol, prostrée dans une confiance sereine, dans un abandon total. Au plus fort de sa maladie, maman priait encore, malgré sa faiblesse, malgré les médicaments qui lui donnaient la nausée. Lorsque nous lui rendions visite à l'hôpital, le soir, papa et moi trouvions souvent la porte de sa chambre fermée. C'était un signe qu'elle était en train de prier. Après quelques minutes, elle venait elle-même nous ouvrir et marchait lentement vers son lit, le dos courbé. En dépit de son corps meurtri et brisé, son visage demeurait paisible et, dans son sourire, on ne décelait pas la moindre amertume.

Longtemps, j'ai pensé que maman priait pour que Dieu la guérisse. Quand elle est morte, je me suis sentie pleine de haine et de colère. Comment Dieu pouvait-il abandonner ma mère alors qu'elle lui avait donné sa dévotion et son amour, sans fléchir un seul instant? Pourquoi n'avait-il pas entendu mes prières? Pourquoi, surtout, avait-il ignoré les siennes? C'est à ce moment que Dieu a commencé à s'effacer de ma vie.

*   *   *

Plutôt que de prendre l'autobus, Daniel a décidé de marcher jusqu'à la résidence du Mont Scopus. Arrivé à la porte de l'immeuble, il hésite un moment, puis appuie sur le bouton de la sonnette. Une jeune femme répond à l'interphone d'une voix agacée. L'a-t-il réveillée ? Pourtant, il est déjà dix heures. « Qui est là ? » Déconcerté, Daniel est sur le point de partir. La voix insiste, impatiente, irritée : « Qui est là, enfin ? » Daniel finit par répondre : « C'est… C'est Daniel Benzaken. Je suis le papa… le père de Sara. » Un moment de silence, puis le cri strident de la sonnerie qui semble porter la mauvaise humeur de la jeune femme.

Il pousse la porte et gravit l'escalier. Samira l'attend sur le palier. Au début, il ne voit que ses yeux, trônant au sommet d'un visage hâve aux joues creuses, comme deux pierres noires resplendissantes, seuls vestiges d'un château de sable dont la mer a dévoré les remparts, les tours et les créneaux.

« Je suis désolée… Je ne savais pas que c'était vous… Je vous en prie, entrez. » Samira, en robe de chambre, pieds nus, lui sourit timidement, comme une enfant honteuse d'avoir été insolente avec son professeur. De la cuisine provient une odeur de café et de soupe aux lentilles. « Je vous en prie, répète Samira en lui indiquant la porte du salon, entrez, asseyez-vous. Je vais m'habiller, j'en ai pour une minute. » En traversant le couloir, Daniel s'arrête un moment devant une porte entrebâillée. Dans la pénombre, il distingue un bureau sur lequel sont posées des piles de livres, une affiche de Charlie Chaplin et, sur le dossier d'une chaise, l'écharpe de lin bleue que portait Sara le jour où elle a quitté Montréal.

« Ne restez pas là, asseyez-vous. » La jeune femme lui sourit. Elle porte maintenant une robe de coton fleurie et a remonté ses longs cheveux noirs en chignon. Daniel la suit dans le salon. Il tente de se rappeler les paroles d'Avner, ses allusions aux opinions politiques de Samira, à la mauvaise influence qu'elle exerçait sur Sara. « Je dois à tout prix rester sur mes gardes », pense-t-il.

— Je peux vous offrir à boire ?

— Non, merci.

Daniel s'assoit sur le sofa et Samira prend place en face de lui.

— Je suis contente que vous soyez là. Je dois vous dire… depuis quelque temps… je me fais du souci pour Sara.

Son débit précipité, haletant, décompose les mots, hachure les phrases, en oblitère des pans entiers, comme si plusieurs voix contradictoires se faisaient la guerre en elle.

— Elle n'aimait pas en parler… mais elle s'est tout de même confiée à moi. Elle ne vous a rien dit ?

— À quel sujet ?

— Les coups de téléphone… les… ces derniers temps… elle avait très peur…

Daniel blêmit.

— Je ne comprends pas. Que voulez-vous dire ?

— Elle recevait… des appels anonymes. Au début, elle n'y accordait pas trop d'importance. Elle se disait qu'ils finiraient par arrêter. Mais les appels continuaient. Toute la journée. Tard dans la nuit. Et puis, il y a eu quelques lettres, aussi…

— Quelles lettres ?

— Des lettres anonymes. Des lettres d'insultes.

— Mais… Pourquoi n'est-elle pas allée voir la police ?

— Elle l'a fait. Mais je ne crois pas qu'on l'a prise au sérieux. Vous devriez en parler au commissaire… celui qui est chargé de l'enquête…

— Le sergent Ben-Ami ?

— Voilà. Lundi — c'était il y a plus de deux semaines —, j'étais inquiète de ne pas voir Sara. Normalement, lorsqu'elle passe le week-end avec Ibrahim, elle est de retour le dimanche soir. Je lui ai téléphoné plusieurs fois, bien sûr, je lui ai laissé des messages, mais elle ne m'a pas rappelée. Vous savez, ce n'est pas son genre, elle m'aurait avertie… Même si elle était partie avec Ibrahim et n'avait pas voulu qu'on sache où ils étaient, elle aurait au moins retourné mes appels. Non, vraiment, c'est très bizarre…

Daniel tourne la tête vers la fenêtre entrouverte. Une brise chaude apporte les odeurs de la rue, viande grillée et dioxyde de carbone. La rumeur des voitures, au loin, comme celle de l'océan, raconte mille histoires, mille petits drames désunis, reflets dérisoires de son propre égarement.

Son regard rencontre celui de Samira. Les questions se bousculent dans son esprit, chacune en engendrant dix autres, une arborescence grouillante d'interrogations, de doutes et de soupçons qui se chevauchent et s'enchevêtrent. Pourquoi le commissaire ne lui a-t-il pas mentionné les lettres anonymes? Par qui Sara aurait-elle été menacée? Il se souvient de la question du commissaire : Sara a-t-elle des ennemis? Sur le coup, cette supposition lui avait semblé absurde, mais maintenant, Daniel se rend compte que le sergent Ben-Ami en sait plus qu'il ne l'a laissé paraître. Pourquoi lui a-t-il caché la vérité? Et puis, peut-il faire confiance à Samira? Cette histoire de lettres anonymes, ne serait-ce pas une invention? Mais à quelle fin?

— Pardonnez-moi, dit Samira. Je dois aller à mon cours.

Elle se lève, le raccompagne à la porte. Sur le palier, elle pose la main sur son épaule. C'est un geste qu'elle veut rassurant, sûrement, mais Daniel ne peut réprimer un frisson. Ce contact plein de douceur lui rappelle, en le pénétrant un instant, son insoutenable solitude.

« Rappelez-moi lorsque vous aurez reparlé au commissaire… J'ai encore beaucoup à vous dire… »

*   *   *

De : Sara
À : Daniel
Objet : Retour à Jérusalem
Vendredi 14 novembre 2008, 22 h 12

Bonsoir papa,

Je viens de rentrer de Khirbet Qeiyafa.

Longues journées de travail ardu. J'ai des courbatures partout. Mais ça m'a fait du bien de me vider un peu l'esprit après des semaines passées dans les livres.

Au début, je ne me sentais pas très à l'aise avec le groupe. Même si j'ai fait des progrès en hébreu, j'ai encore du mal à suivre les conversations, surtout quand tout le monde parle en même temps. Mais au bout d'une semaine, je m'y suis faite.

Le dernier soir, on s'est tous assis autour d'un feu de camp pour chanter des chansons. L'un des volontaires, un Canadien de Vancouver, avait apporté des guimauves et a montré au groupe comment les faire griller au-dessus du feu. Ce goût de sucre roussi, ça m'a rappelé nos vacances dans le Maine. Tu te souviens ? Le soir, sur la plage, tu nous faisais déguster, toi aussi, des guimauves carbonisées.

Comme tu vois, il n'en faut pas beaucoup, ces temps-ci, pour me précipiter sur la pente des souvenirs.

Je t'appelle demain.

Bisous,

Sara

*   *   *

Jérusalem, le 16 novembre 2008
De l'autre côté du restaurant, il a les yeux fixés sur moi. Je ne soutiens pas son regard, mais lorsque je tourne mon

visage vers lui — *furtivement, pour ne pas lui donner l'impression que j'ai remarqué son petit jeu* —, *je crois déceler un sourire. À bien y penser, ce n'est peut-être pas un sourire, c'est plutôt une expression de satisfaction, comme s'il connaissait déjà la suite des choses.*

Ce sont mes camarades de Khirbet Qeiyafa qui m'ont entraînée ici. De retour à Jérusalem après deux semaines de travail ardu, ils ont décidé de célébrer, même si les fouilles n'ont pas encore été très fructueuses : quelques fragments d'urnes, des noyaux d'olives calcinés, toutes sortes de trouvailles qui ressemblent plus à ces objets hétéroclites qu'on peut retrouver dans les poches d'un enfant qu'à des trésors qui détiennent la clé du passé.

Ce soir, je suis assise entre Dov et Tamar. J'essaie de suivre leur conversation animée mais, malgré moi, je suis plus intéressée par les expressions de leurs visages, les inflexions de leurs voix, leurs gestes, surtout, qui me paraissent un peu exagérés, comme s'ils se battaient à coups de fleurets au-dessus de la table. C'est une de ces discussions sans fin dont le but est plus de prouver qu'on a raison que de découvrir ce que pense vraiment l'autre. Dov prétend que l'infidélité véritable, c'est celle du cœur; que coucher un soir avec une autre femme, ce n'est pas vraiment tromper celle qu'on aime. C'est lorsqu'on tombe amoureux d'une autre, même si cet amour demeure platonique, que l'on trompe vraiment. Tamar soutient le contraire; faire l'amour est l'acte le plus intime qui soit, dans lequel on se révèle entièrement, même quand on y prend peu de plaisir. Lorsqu'on se donne à un autre, c'est comme si on enlevait à celui qu'on aime tout ce qu'on lui a promis. Je les regarde, je suis les mouvements de leurs mains qui s'affrontent devant mes yeux, qui se rapprochent le plus possible sans néanmoins se toucher, et je me dis qu'ils n'entretiennent probablement ce désaccord que pour prolonger un peu plus leur parade nuptiale.

À quelques mètres de notre table, le visage à moitié caché par les longues tiges d'un bouquet de lys, l'homme me regarde toujours. Ses sourcils noirs lui donnent un air sévère, mais ses lèvres promettent sans cesse la naissance d'un sourire. Tout en gardant les yeux fixés sur moi, il parle à ses compagnons de table, tel un chef cuisinier qui, tout à sa sauce, continue de surveiller du coin de l'œil le progrès de ses aides.

Au moment de partir, mes camarades me proposent d'aller prendre un verre dans un bar de Nahalat Shiva. Mais je suis trop fatiguée et je préfère retourner à ma chambre. J'ai à peine tourné le coin de la rue que j'entends derrière moi une voix qui m'appelle : « Pardon ! Toi, là-bas ! » Je me retourne. C'est l'homme du restaurant. Je le dévisage, interdite. Il me paraît plus petit que tout à l'heure. Ses épaules larges, son regard paisible, son ventre déjà un peu bedonnant lui donnent un air à la fois imposant et rassurant. « J'ai vu que tu étais seule… Tu ne veux pas que je te raccompagne ? » Je devrais peut-être l'ignorer ou faire mine de ne pas comprendre. Mais, peut-être à cause de son sourire franc et généreux, je me sens obligée de lui répondre. « Non, merci. Je peux rentrer toute seule. » Il ne paraît pas surpris, mais il ne semble pas décidé à partir. « Je te regardais, tout à l'heure, au restaurant… Tu es française ? » Je n'ai pas envie d'engager la conversation, mais il est trop tard. D'un ton contrarié, je lui réponds en détournant aussitôt la tête pour surveiller l'arrivée de l'autobus : « Non… Je suis de Montréal. » Imperturbable, il continue de sourire. « Montréal ! J'adore Montréal ! » Et il se met à énumérer tous les endroits qu'il y a visités : le Vieux-Port, le carré Saint-Louis, le Jardin botanique… Constatant mon indifférence, il poursuit : « Tu es étudiante ici ? » Je me contente de faire oui de la tête. « À l'Université Hébraïque ? » J'acquiesce de nouveau. Non sans soulagement, j'aperçois l'autobus qui arrive enfin. Au moment de monter, je jette un dernier coup d'œil dans sa direction, moins pour excuser ma froideur que pour sonder l'expression de son visage. Il sourit encore, quoique plus timidement.

Arrivée au Mont Scopus, je me rends tout de suite à ma chambre. Samira est déjà endormie. Je vais à la cuisine pour boire un verre d'eau, puis je me brosse les dents. Dans la pénombre, j'ai l'impression qu'il m'observe encore, que son regard est posé sur moi, comme une caresse sur mon épaule, ou comme une tache que je serais seule à voir. Peut-être que mes efforts pour le repousser ont laissé un creux en moi, un espace vide que sa présence est tout naturellement venue remplir. J'ai presque regretté de ne pas lui avoir fait confiance.

Jérusalem, le 17 novembre 2008
Exposition Van Gogh à Tel-Aviv. Un groupe d'enfants de huit à dix ans, assis par terre devant Les Tournesols. Leur maîtresse leur demande ce qu'ils pensent du tableau. Un petit garçon finit par répondre : « C'est joli, mais je trouve qu'il y a trop de jaune. Beaucoup trop de jaune. »

Jérusalem, le 18 novembre 2008

J'ai collé quelques affiches sur les murs de ma chambre : Charlie Chaplin assis sur un banc, tenant à la main une fleur blanche, une reproduction de La Nuit étoilée de Van Gogh, une ancienne carte de Jérusalem. Je me suis assise sur mon lit pour contempler le résultat. Ça me fait un effet un peu bizarre de voir ces images qui constituaient mon environnement familier sur Édouard-Montpetit, à Montréal, transplantées ici, à Jérusalem, dans cette chambre aux murs blancs baignés de lumière.

Mon regard s'arrête sur La Nuit étoilée. Ce bleu profond, prégnant, plein de chaleur, me renvoie très loin dans le passé. Il me rappelle un lieu, une conversation peut-être, mais je n'arrive pas à mettre le doigt dessus.

Pour retracer ce souvenir, il faudrait que j'abandonne mes repères habituels : les lieux familiers, mon école, les rues du quartier Côte-des-Neiges, notre chalet à Saint-Adolphe. Il faudrait que je trouve, dans ma mémoire, ces chemins de traverse qui nous entraînent vers des visions insolites, comme ces lignes de désir, ces raccourcis improvisés qu'on retrouve dans certains parcs, façonnés par des promeneurs déterminés à tracer de nouveaux sillages. Dans le passé aussi, il y a des routes balisées : ce sont les villes, les dates, les photos de vacances, la cartographie officielle de la mémoire. Et puis, il y a les passages inventés, les chemins délinquants, ceux qui nous lancent à la poursuite d'une odeur, d'un visage dont on cerne à peine les traits, d'une couleur portée par un foisonnement de voix inconnues. Ce sont ces lignes de désir, finalement, qui nous orientent, à notre insu, dans le passé, et qui soutiennent l'édifice de la mémoire.

Jérusalem, le 18 novembre 2008, 23 h 15
J'insiste, je continue de fouiller mon passé ; et dans cette futile course aux souvenirs où mon imagination est souveraine, je ne suis plus sûre de rien.

Peut-être ce bleu est-il celui de l'aube, lorsque maman me réveillait pour petit-déjeuner, pendant le mois du ramadan. Elle me faisait asseoir à la table blanche de la cuisine et je la regardais préparer à manger. Je ferme les yeux. Pan par pan, la scène se redéploie : la fenêtre entrouverte, l'air de la nuit pénétrant par vagues tantôt chaudes et humides, tantôt odorantes et fraîches, la lumière diaphane des néons donnant aux mains de maman, affairées à couper des fruits sur le comptoir, une pâleur sépulcrale, les cris impatients des oiseaux, fusant d'arbre en arbre comme un seul souffle, angoissé et erratique. Maman vient me rejoindre à table. Elle insiste pour que je termine mes fruits, même si les oranges sont si acides que je ne peux m'empêcher de grimacer.

À de tels moments, nous parlions peu, mais maman répondait volontiers à mes questions. Ses explications ne ressemblaient en rien aux affirmations péremptoires que m'assénait ma grand-mère lorsque nous lui rendions visite à Paris : « Nous jeûnons pour nous rappeler ceux qui ont faim. » Ou bien : « Nous suivons l'exemple du Prophète. Jeûner, c'est se rapprocher de lui. » Au contraire, chaque fois que je l'interrogeais, maman commençait par dire qu'elle ne savait pas. Puis, elle élaborait : « Ce que je crois est sans valeur. Ce sont nos gestes qui comptent avant tout. Lorsque tu pries, lorsque tu jeûnes, tu dessines la présence de Dieu autour de toi. Ce n'est qu'une image ; peut-être n'y a-t-il rien derrière. Mais tant que tu occupes cet espace, tant que l'image subsiste, Dieu demeure possible. »

Cette année-là, le ramadan avait commencé au mois de juillet ; et durant ces longues journées de jeûne, j'accompagnais maman à la pharmacie pour lui donner un coup de main. Pendant qu'elle mettait à jour les dossiers des clients, elle m'envoyait chercher des boîtes de comprimés ou des tubes de crème. Je me promenais entre les hautes étagères en examinant les myriades d'étiquettes blanches, parfaitement alignées. Il s'en dégageait une odeur humide de papier journal, une fraîcheur clinique qui contrastait avec la voix chaude et feutrée de maman. Lorsque nous rentrions le soir, papa nous avait préparé un repas copieux — soupe aux lentilles, riz au poulet, aubergines farcies, et, pour le dessert, des baklavas parfumés à la fleur d'oranger. Il s'attablait avec nous et mangeait avec tant d'appétit que je me demande s'il ne jeûnait pas, lui aussi, par solidarité.

Tous ces souvenirs me reviennent comme ceux d'un bonheur sans ombre. L'année scolaire était terminée, j'étais débarrassée de mes cahiers, de mes livres, des leçons à apprendre. J'étais libre, j'étais maîtresse de mon temps : deux longs mois pendant lesquels je pourrais lire à mon gré, me promener sans but, faire la grasse matinée. Je m'envie ce passé, aujourd'hui, comme s'il ne m'avait jamais appartenu, comme s'il avait été le bonheur d'une autre. Mais si ces moments me manquent, ce n'est pas parce que je voudrais les vivre à nouveau. La nostalgie n'est pas un désir de passé, mais une aspiration à l'éternité. Ce qui nous manque, ce n'est pas avant tout la joie ou la légèreté que nous ressentions, mais la plénitude infinie de

nos sentiments, close au temps et imperméable au devenir.
C'est la texture éternelle du moment, saisi dans le roc brut
de la vie, détaché de son futur.

*   ∗   ∗   ∗*

De : Daniel
À : Sara
Objet : Maman
Mercredi 19 novembre 2008, 18 h 16

Ma chérie,
Hier, c'était l'anniversaire de la mort de maman. Je suis
allé au cimetière. C'était la première fois sans toi et,
bien sûr, avec mon mauvais sens de l'orientation, je me
suis perdu. J'ai dû demander mon chemin plusieurs
fois avant de trouver.
L'autre jour, j'ai dîné avec un collègue, Georges
Lamoureux. Tu l'as déjà rencontré, je crois, c'est un
spécialiste de l'Antiquité. Il m'a encore proposé de me
présenter quelqu'un. Une prof de cégep, très jolie,
passionnée de cinéma. D'après Georges, elle est trop
intelligente, c'est pour ça qu'elle est toujours seule. Il a
beaucoup insisté pour que je la rencontre, il a même
proposé d'organiser un souper chez lui. À la fin, j'ai dû
lui expliquer gentiment que je n'étais vraiment pas
intéressé.
Ceux qui vivent en couple ont parfois bien du mal à
s'imaginer qu'on puisse choisir de rester seul, car c'est

justement la peur de la solitude qui les a jetés dans les bras de l'autre. Comme je te l'ai souvent dit, je ne suis pas un héros : ce n'est pas par fidélité à maman que je reste célibataire, c'est plutôt par paresse. C'est parce qu'étant finalement parvenu à agencer autour de moi tout ce dont j'ai besoin pour vivre, je n'ai plus ni la force, ni le désir, ni l'imagination nécessaires pour réaménager mon terrier.

J'ai pris mon billet d'avion. J'arrive à Jérusalem le 22 décembre. J'ai hâte de te voir.

Ton père qui t'aime.

* * *

Arrivé dans la rue, Daniel s'empare de son cellulaire et compose le numéro du commissaire Ben-Ami. Pour une fois, ce dernier répond. Daniel tente tant bien que mal de réprimer sa colère.

— Pourquoi ne m'avez-vous rien dit ?

— À quel sujet ?

— Ne faites pas l'innocent. Vous savez très bien de quoi je veux parler.

— Monsieur Benzaken, je vous assure…

— Les lettres anonymes ! Vous n'allez pas me dire que vous n'étiez pas au courant ?

— Ah… Je… Écoutez…

— Pourquoi ne m'avez-vous rien dit ? Y a-t-il autre chose que vous me cachez ?

— Monsieur Benzaken, vous avez mal compris, croyez-moi. Je voulais simplement vous épargner d'inutiles inquiétudes… Ces lettres… Rien ne prouve qu'elles soient liées à la disparition de votre fille…

— Peut-être, mais avouez que c'est quand même étrange, non ? Savez-vous d'où venaient ces lettres ? Vous avez bien dû les faire analyser, non ?

— Bien sûr. Mais il ne s'agit que d'une piste. Pour l'instant, nous devons considérer toutes les hypothèses, y compris la possibilité que Sara ait décidé de partir d'elle-même, sans donner de nouvelles.

— Qu'est-ce que vous insinuez ?

— Ce sont des choses qui arrivent. Bien plus souvent que vous ne le pensez. Une peine d'amour, un épisode dépressif… Parfois, même les proches ne se doutent de rien.

Le sergent Ben-Ami s'interrompt, comme s'il voulait vérifier l'effet de ses paroles sur son interlocuteur.

— Je comprends votre inquiétude, monsieur Benzaken. Mais, n'en doutez pas, nous mobilisons toutes les ressources possibles. Patience, monsieur Benzaken. Armez-vous de patience, c'est tout ce que je peux vous dire.

*   *   *

Jérusalem, le 21 novembre 2008
Je viens de terminer La Porte du soleil *d'Elias Khoury.*

L'espoir, sauvé par les récits qui s'enchevêtrent, qui n'en finissent plus de naître et de nommer : « L'être humain ne dévoile son nom qu'au moment de disparaître, c'est-à-dire lorsque son nom se transforme en linceul. »

Jérusalem, le 23 novembre 2008
Je me sens un peu désorientée, ce soir. J'ai un essai à remettre demain, mais les idées ne viennent pas. Je vais d'un livre à l'autre, je relis mes notes — rien à faire, j'ai perdu le fil. Et le pire de tout, c'est que ça ne m'inquiète pas outre mesure. J'irai voir mon professeur demain matin. Je lui expliquerai que j'étais malade, je lui demanderai un sursis de quelques jours.

Malgré moi, je pense à l'homme du restaurant. Mais la prochaine fois que nous nous verrons — si, toutefois, il se décide à me rappeler —, je ne réussirai pas à le trouver aussi beau que dans mon imagination. Je serai déçue. Je regarderai son nez un peu trop fort, ses yeux tristes, ses joues grasses, ses oreilles décollées et je me dirai : non, décidément, il n'est vraiment pas si charmant que ça. Et pourtant, je me laisserai aller à écouter le son de sa voix, je lui découvrirai un talent de conteur, je me convaincrai que derrière ses yeux somnolents il y a des trésors insoupçonnés de bonté et de grâce.

Lorsque je l'ai abandonné à l'arrêt d'autobus il y a une semaine, je ne pensais jamais le revoir un jour. Mais avant-hier, alors que je me rendais à pied à la cinémathèque, j'ai entendu une voix derrière moi. Je me suis retournée. C'était lui. Debout au coin de la rue qui menait à Mishkenot Sha'ananim, il me faisait de grands signes de la main, un sourire immaculé éclairant son visage. Comment était-il arrivé jusque-là ? M'avait-il suivie ? S'agissait-il vraiment d'une coïncidence ?

Il a traversé la rue et m'a tendu la main en me demandant, rayonnant : « Tu te souviens de moi ? » C'était plus une affirmation qu'une question. « C'est étrange, tu ne trouves pas ? Je revenais de chez mes parents, et voilà que je tombe sur toi ! Je ne veux pas t'importuner, mais… est-ce que je peux t'inviter à prendre un verre ? » Je lui ai répondu que j'allais au cinéma, mais qu'après, peut-être, ou bien un autre jour… Il m'a souri ; il sentait bien que je voulais me débarrasser de lui. Mais au lieu de battre en retraite, il m'a jeté un regard de défi et m'a répondu : « D'accord. J'ai quelques courses à faire dans le quartier. Je t'attendrai dans le café là-bas, au coin de la rue. » Je suis restée bouche bée ; je ne savais pas comment réagir. J'aurais dû avoir la présence d'esprit de prétendre que j'avais déjà un rendez-vous, que je devais dîner avec une amie ou bien que j'avais un exposé à préparer pour le lendemain. Mais je me suis contentée d'acquiescer, comme une enfant qu'on somme de rentrer à la maison à l'heure dite.

Assise au fond du cinéma, je ne pouvais m'empêcher de penser à cet inconnu dont je ne savais même pas le nom. Je m'en voulais de ne pas avoir été plus ferme, mais son insistance m'avait décontenancée. Je n'étais pas habituée à ce genre de situation. Les garçons que j'avais connus à Montréal étaient bien moins entreprenants.

Pendant tout le film, je me suis demandé comment je me tirerais d'affaire. D'abord, j'ai tenté de me convaincre qu'il ne serait pas au rendez-vous. Mais c'était peu plausible, étant donné la détermination dont il avait fait preuve. Alors, je me suis imaginée avec lui au café ; je serais polie, mais sans plus ; je lui poserais quelques questions, mais pas trop ; je serais distraite, mais pas au point de lui paraître indifférente.

En sortant du cinéma, je me suis dirigée vers le café qu'il m'avait désigné. Il n'y était pas. J'étais sur le point de rebrousser chemin, à moitié soulagée, lorsque j'ai senti une main posée sur mon épaule. Je me suis retournée. Il me regardait avec un grand sourire. « Je ne t'ai pas fait peur, j'espère ? Tu as l'air surprise. Tu ne t'attendais pas à ce que je sois au rendez-vous ? Allez, tu peux me dire la vérité, je ne serai pas vexé. » Il y avait dans son regard une franchise que je n'avais pas décelée auparavant.

Nous avons marché vers Nahalat Shiva. La nuit tombait, les rues grouillaient de monde. De temps à autre, son bras frôlait le mien. J'avais peur qu'il me prenne la main.

Au restaurant, il a commencé à s'animer. J'ai appris qu'il s'appelait Avner, qu'il avait vingt-neuf ans et qu'il gérait l'un des restaurants appartenant à son père. C'est d'ailleurs de ce restaurant — Djerba Palace — que je sortais lorsqu'il m'a abordée, l'autre jour. J'écoutais Avner me décrire son quotidien, son admiration pour son père, qui avait « trimé toute sa vie pour sa famille », et je ne pouvais m'empêcher de penser que ce n'était pas la première fois qu'il racontait cette histoire. Avec la même émotion factice, les mêmes gestes un peu trop appuyés, il avait tenté de séduire plusieurs filles avant moi, convaincu que cette image de stabilité et d'harmonie suffirait à les attirer dans ses bras.

Lorsque nous sommes sortis du restaurant, les rues s'étaient vidées. J'écoutais sa voix résonner dans l'air humide du soir, sans trop chercher à suivre le fil de son récit. Il était question d'un nouveau restaurant à Tel-Aviv, d'un ami d'enfance dont il avait retrouvé la trace, de sa sœur aînée qui venait de se fiancer.

Au moment de nous quitter, il a approché son visage du mien. Je sentais qu'il hésitait. Je ne lui ai pas laissé le temps de se décider, j'ai placé ma main fermement sur son épaule, j'ai déposé un baiser furtif sur sa joue et je suis entrée dans l'immeuble sans me retourner.

Sur le coup, je me suis sentie soulagée. Mais maintenant que je suis seule, je regrette d'avoir tout fait pour l'éloigner de moi. Je suis sûre qu'il n'appellera pas.

Jérusalem, le 27 novembre 2008

Il a appelé, malgré tout. Il avait des billets pour un concert de jazz dans un club « très sélect » de Tel-Aviv. Il est venu me chercher en voiture — la décapotable de son père —, et nous sommes passés au Djerba Palace avant de prendre la route. Les employés l'ont accueilli avec des « Salut, patron ! » énergiques, mais je sentais dans leurs sourires trop rayonnants une méfiance silencieuse. Lorsque Avner passait près d'elles, les serveuses se regardaient d'un air entendu. Elles se tenaient à carreau pour le moment, mais après notre départ, j'en étais sûre, les plaisanteries malveillantes se mettraient à fuser.

Il a suffi d'un petit incident pour que je comprenne d'où venait cette hostilité. L'une des serveuses, une jeune femme au derrière volumineux et au visage menu, se dépêchait de desservir la table du fond pour venir prendre notre commande. Dans sa précipitation, elle a renversé une tasse de café dont le contenu est allé éclabousser la blouse blanche d'une cliente. D'un bond, cette dernière s'est levée en hurlant : « Petite idiote ! Tu ne peux pas faire attention ! » Nous nous sommes tous retournés. La jeune serveuse, rouge de honte, offrait vainement une serviette à la cliente, une dame replète et fardée qui la regardait avec colère. Elle continuait de la semoncer, prétendant que sa blouse toute neuve était ruinée et exigeant d'être dédommagée séance tenante.

Avner a immédiatement pris les choses en main. D'un geste méprisant, il a chassé la serveuse et, la tête penchée vers l'oreille de la dame, il s'est mis à parlementer avec elle. Je n'ai pas entendu leur discussion, mais après quelques minutes, la dame lui souriait et acceptait la main qu'il lui tendait, reconnaissante. Une fois l'affaire réglée, Avner s'est dirigé d'un air menaçant vers la serveuse, l'a saisie par le bras, enfonçant ses doigts dans sa chair blanche et potelée, et l'a entraînée en silence dans la cuisine. Une fois la porte refermée, j'ai entendu la voix d'Avner qui tonnait contre la jeune femme. Cette dernière tentait de répondre, de s'expliquer, la voix étouffée par les sanglots, mais Avner ne l'écoutait pas et continuait de la rabrouer brutalement. Les clients du restaurant, d'abord gênés, se sont réfugiés dans leurs conversations en chuchotant. Bientôt, Avner est revenu dans la salle à manger, le visage serein, le regard triomphant. En passant près de moi, il m'a tapoté l'épaule, comme s'il venait d'écarter de moi un grand danger.

Dans la voiture, Avner est devenu très loquace. Il prenait plaisir à me décrire les tours pendables que ses copains et lui jouaient à leurs camarades d'école. Il se vantait de ses mauvaises notes, imitait la voix fluette de son professeur d'histoire, prenait un ton sentencieux pour se moquer du premier de classe, un garçon malingre et pleurnichard devenu, selon lui, modeste employé de banque. Je l'écoutais docilement et, bon public, je riais volontiers à ses plaisanteries. Mais je ne pouvais m'empêcher de penser à la jeune serveuse, à ses traits fragiles, à ses yeux éplorés. Je regardais Avner et je n'arrivais pas à réconcilier ce ton enjoué, ce charme maladroit, avec les hurlements sauvages qu'il avait infligés à la pauvre jeune femme quelques moments plus tôt. De temps à autre, il se tournait vers moi et, malgré son sourire bienveillant et doux, je ne voyais qu'un visage grimaçant, plein de hargne et de colère.

*   *   *

Voilà plus d'une heure que Daniel marche dans les rues ombragées de Yemin Moshe. Il marche sans but, pour s'épuiser, pour épuiser ses pensées. Ces dernières, invisibles courants de retour, l'attirent irrésistiblement vers le large, dans un passé immense et sans chemin. Le voilà maintenant parcourant, essoufflé, affolé, les rues du Vieux-Montréal. Il descend la rue Saint-Sulpice, tourne sur la rue Saint-Paul. Arrivé à la place Royale, il s'arrête un instant, regarde de tous les côtés, puis remonte la rue de la Capitale. « Sara ! Sara ! » Il appelle de toutes ses forces, à s'en érailler la voix. Qu'importe si les passants le regardent, ahuris, comme s'il était dément. Il doit retrouver Sara, il faut qu'il la retrouve, pourvu… pourvu seulement qu'il ne lui soit rien arrivé !

Devant le musée Pointe-à-Callière, il arrête une passante : « Avez-vous vu une petite fille ? Elle a cinq ans, elle porte une casquette bleu clair… » La dame balbutie, abasourdie, quelques mots confus. Daniel ne cherche pas à comprendre, il a repris sa course effrénée, il bouscule, piétine, trébuche, hurle : « Sara ! Sara ! » Le Bourlingueur, rue Saint-François-Xavier, place D'Youville, non, ce n'est pas possible, elle n'a pas pu aller aussi loin. Ils faisaient la queue devant le marchand de glaces, à l'angle de la rue Saint-Dizier. Sara s'est éloignée pour regarder les cerfs-volants dans la vitrine d'un magasin de jouets. Il ne l'a perdue de vue que quelques secondes, le temps de payer le cornet, et Sara avait disparu. À bout de souffle, le front en sueur, Daniel remonte maintenant la rue Saint-Paul. Déjà, il songe : je dois trouver un téléphone, appeler la police. Et puis, finalement, de retour rue Saint-Dizier, voilà qu'il aperçoit Sara qui l'attend devant le marchand de glaces. Une dame portant un grand chapeau de paille est accroupie à côté d'elle et lui parle, sa bouche effleurant son oreille, sa main délicatement posée sur son épaule. Avant de la laisser courir à la rencontre de son père, elle dépose sur sa joue un baiser qui dessine un oiseau écarlate, de la couleur de son rouge à lèvres. Sara ne pleure pas. Elle tend les bras à Daniel, se laisse soulever et presse son visage blême contre son cou.

De retour à la maison, Daniel n'a pas osé raconter l'incident à Leila, et Sara l'a suivi dans son mensonge. « Comment s'est passé votre après-midi ? » Daniel s'est empressé de répondre, jetant un regard entendu à Sara : « Mais très bien, très bien. N'est-ce pas, Sara ? » Leila a-t-elle été dupe ? Elle a remarqué l'oiseau rouge sur la joue de sa fille, mais elle s'est contentée de prendre un mouchoir et de lui essuyer le visage. Puis elle a levé les yeux vers Daniel. C'était un regard qui voulait dire « je te fais confiance », et c'est la même expression à la fois sévère et suppliante qu'il retrouve maintenant lorsqu'il imagine Leila marchant à ses côtés dans les rues de Jérusalem ou l'observant faire sa toilette dans sa chambre d'hôtel. Cette responsabilité dont elle l'enveloppe, comme un patient qui met sa vie entre les mains d'un chirurgien, l'étreint, l'entrave, arrime à chacun de ses actes l'ombre d'un mauvais présage.

*   *   *

De : Sara
À : Daniel
Objet : Du nouveau
Vendredi 28 novembre 2008, 20 h 43

Bonsoir papa,
J'étais tentée de t'en parler au téléphone la fin de semaine dernière, mais je me disais que c'était un peu

prématuré. En fait, j'ai rencontré quelqu'un. Il s'appelle Avner. Il est de Tel-Aviv, mais vit à Jérusalem. Il gère un des restaurants de son père. Il a du charme, on s'entend bien et, pour le moment, ça me suffit.

Il m'a un peu raconté sa vie : son père est originaire de Tunis. Il est parti de rien et, petit à petit, il s'est mis à acquérir plusieurs restaurants à Tel-Aviv, à Jaffa et à Jérusalem. Avner a fait des études de droit, puis a commencé à travailler avec son père. Il a beaucoup d'ambition et parle de « bâtir un petit empire ».

Il est très gentil, très attentionné, mais je ne sais pas si ça ira plus loin.

Voilà, je t'en parle plus longuement dans quelques jours.

Bonne nuit,

Sara

*   *   *

Jérusalem, le 30 novembre 2008

Hier, pour la première fois, Avner m'a posé des questions sur mes parents. Après une longue promenade dans les rues de Netanya, nous avions décidé de passer une heure à la plage avant de reprendre la route vers Jérusalem. Assise face aux vagues, les coudes enfoncés dans le sable, j'ai senti sa main se poser sur la mienne, comme par mégarde, comme un geste nonchalant mille fois répété. Je l'ai laissé faire, moins parce que j'étais touchée par cette marque d'intimité que parce que je ne voulais pas le mettre mal à l'aise.

En apprenant que mon père était né au Maroc, son visage s'est soudain éclairé et il s'est mis à m'énumérer les noms de tous les Marocains qu'il a fréquentés depuis la petite école : Benamron, Amzallag, Malka, Abitbol, Toledano, Benzaken, Azoulay. Constatant que sa connaissance de la généalogie marocaine me laissait plutôt indifférente, il m'a interrogée sur ma mère. Je lui ai expliqué qu'elle était libanaise et qu'elle avait quitté Beyrouth avec ses parents pendant la guerre civile. Mais je ne lui ai pas dit qu'elle était musulmane.

Pourquoi lui ai-je caché la vérité ? À quel jeu suis-je en train de jouer ? Ce n'est pas tant pour lui mais pour moi-même que j'aurais dû être plus sincère. Est-ce que je craignais tant sa réaction ? Si je lui avais révélé les origines de ma mère, il m'aurait sûrement regardée d'un air effaré. Je me serais soudain transformée, je serais passée de confidente à intruse. J'aurais été l'ennemie dont le masque serait tombé. Et pourtant, comment puis-je en être si sûre ? Pourquoi ne pas lui avoir fait confiance ? Je crois que j'ai eu peur. Peur qu'il me rejette. Parce que, malgré mes hésitations, même si je ne sais toujours pas trop ce que je ressens pour lui, je ne voudrais pas me retrouver seule.

Pour pouvoir être avec Avner, j'ai créé de lui une image unie, sans aspérités, nettoyée de tout ce qui me paraît désagréable et pesant. Et moi, pour être la compagne de cette image, j'ai dû émonder toute une part de mon être. Avec Avner, je vis le plaisir d'exister sans questions et, surtout, le soulagement — même illusoire —

d'appartenir. Pour lui, je ne suis qu'une Juive de Montréal, et rien d'autre. Aux yeux de ses anciens camarades de l'armée, de ses cousins, avec qui nous avons passé la soirée de shabbat vendredi, je suis « l'une des leurs ». Je me sens unie et solidaire, sans trop me demander à quelle cause je me rallie ni par quelle destinée je me laisse entraîner.

Comment se fait-il qu'il me coûte si peu de dissimuler qui je suis ? Cela ne veut-il pas dire que lorsque je m'affirme, plutôt légèrement, juive et musulmane, je suis tout aussi peu sincère ? Cette double appartenance que je revendiquais autrefois sans chercher à en creuser les conséquences n'est-elle pas un autre paravent, une catégorie, unique, peut-être, mais sans profondeur, que j'offre aux autres de manière un peu frivole, sans trop y réfléchir, par esprit de provocation ? C'est une manière de me rendre intéressante sans avoir à me livrer vraiment. C'est laisser toutes les questions qui me tourmentent en friche et me satisfaire, comme si j'étais dupe, moi aussi, de pâles images de moi-même inventées et remodelées au fil des circonstances.

Jérusalem, le 3 décembre 2008
Avner m'a embrassée. Ce n'était ni bon ni mauvais. Je ne me suis pas sentie soulevée, emportée, arrachée au moment ; je n'étais pas dégoûtée non plus. Je pensais à ses mains moites, à ses bras, épais et mous, qui m'attiraient vers lui, à son menton rugueux contre ma joue.

Après une longue promenade dans les rues de Tel-Aviv, nous avons abouti dans un bar de jazz où se produisait le grand trompettiste Chico Pichu. Je regardais Avner onduler doucement au son de la musique, les yeux fermés, tout en me demandant si les trilles stridents du virtuose n'allaient pas me faire éclater les tympans. De temps à autre, Avner me regardait, et je lui répondais par un sourire, probablement moins franc que je l'aurais souhaité. Je me gavais de tacos et de cacahuètes salées.

Vers minuit, nous sommes partis (j'ai essayé de dissimuler mon soulagement), et Avner m'a raccompagnée au Mont Scopus. Au moment de nous quitter, il a approché son visage du mien. Je savais ce qui allait se produire. J'aurais pu gentiment le repousser tout en lui abandonnant au passage un baiser chaste sur la joue. Mais je n'en avais pas le cœur. Alors, sans plaisir, j'ai fait comme il voulait, j'ai laissé ses lèvres toucher les miennes et j'ai fermé les yeux. J'ai senti sa langue volontaire et maladroite, sa respiration haletante, son ventre bedonnant qui se pressait contre moi. Lorsqu'il a relâché son étreinte, ses yeux se sont posés sur mon visage, pleins d'ardeur et de sollicitude. Je l'ai trouvé attendrissant. Je suis bien loin de l'amour ou du désir mais, au moins, je lui ai finalement donné un peu de moi-même. En montant l'escalier qui mène à ma chambre, je me suis sentie plus légère, comme lorsqu'on vient de s'acquitter d'une tâche un peu pénible qu'on a longtemps reportée. Ce n'est qu'une fois allongée dans mon lit, frissonnant sous les draps humides, que mon nuage est revenu et, avec lui, la réalisation confuse que la prochaine fois il faudra probablement aller plus loin.

*   *   *

De : Daniel
À : Sara
Objet : Petit contretemps
Vendredi 5 décembre 2008, 11 h 16

Ma chérie,
J'ai laissé un message sur ton cellulaire un peu plus tôt
aujourd'hui. Ne t'inquiète surtout pas, mais je voulais
te dire que je suis tombé ce matin en glissant sur le
trottoir, près de la maison. Il y avait du verglas, j'étais
pressé, je n'ai pas fait attention.
Ce qui est ennuyeux, c'est que je me suis fracturé la
cheville. Je reviens de l'hôpital. On m'a mis un plâtre.
J'en ai pour cinq semaines.
Je pense que je vais devoir annuler ma visite à
Jérusalem. J'avais tellement envie d'être avec toi, mais
je me vois mal voyager en béquilles.
Je viendrai donc en mai.
Je t'embrasse tendrement,
Papa
P.-S. J'étais content que tu me parles un peu d'Avner
l'autre jour au téléphone. J'ai hâte que tu m'en dises
plus long.

De : Sara
À : Daniel
Objet : Petit contretemps
Vendredi 5 décembre 2008, 18 h 40

Papa, je viens de lire ton message. Je suis vraiment
désolée.

J'avais commencé une liste d'endroits que je voulais te montrer. J'aurais beaucoup aimé que tu rencontres mes amis ; Samira, surtout. Mais bon, ce n'est que partie remise !
Je vais souper chez les parents de Samira ce soir. Je t'appelle demain.
Prends soin de toi,
Sara

*   *   *

Jérusalem, le 5 décembre 2008
Ce soir, Samira m'a invitée à manger chez ses parents, dans le quartier Bab al Zahra. Nous avons pris le bus et sommes descendues rue Salah-al-Din pour acheter des fleurs. Plusieurs marchands avaient déjà fermé leur boutique pour se rendre à la mosquée. Dans les rues poussiéreuses, on rencontrait çà et là de petits groupes d'adolescents jouant au football et des femmes affairées traînant un enfant d'une main et poussant un landau de l'autre. Des maisons basses s'échappait une odeur de pain frais, de cannelle et de cardamome.

Pour la circonstance, Samira s'était coiffée d'un foulard. Ses parents savaient bien qu'elle n'allait plus, depuis longtemps, à la mosquée, mais devant ses oncles, ses cousins et le reste de la famille, il était entendu qu'elle devait faire un effort pour montrer qu'elle était encore une « bonne musulmane ».

Samira n'a pas l'habitude d'emmener des amies chez ses parents. Devant les critiques que lui adresse son père — elle devrait devenir avocate, comme lui ; rien ne l'empêchera d'écrire de la poésie dans ses temps libres, si le cœur lui en dit, mais au moins elle aura un véritable métier —, elle a appris à cloisonner sa vie d'étudiante pour la mettre à l'abri des regards inquisiteurs de sa famille. Je suis, parmi ses amies, la plus « présentable », celle qui laisse le moins soupçonner l'immense fossé qui s'est creusé entre ses aspirations véritables et les rêves que ses parents nourrissent encore pour elle.

J'avais néanmoins besoin d'être préparée. Samira s'est donc mise à m'énumérer les sujets de conversation à éviter en présence de son père : les projets de carrière (à ses yeux, l'archéologie ne vaut guère mieux que la poésie), les arts, la littérature et le cinéma (autant d'activités inutiles qui n'engendrent qu'orgueil ou déception), la politique, bien sûr (quelle que soit la position adoptée par Samira, son père s'ingénie toujours à la contredire : tantôt Arafat s'est fait berner à Oslo, tantôt il a été un fin stratège ; un jour Abu Mazen est une créature des Américains, le lendemain il représente le seul espoir du peuple palestinien), et, par-dessus tout, il ne faut surtout pas discuter de garçons.

Depuis qu'elle est entrée à l'université, Samira a eu plusieurs aventures et n'a pas cherché à cacher son déplaisir chaque fois que sa mère ou sa tante ont souhaité la présenter à un jeune homme de « bonne famille ». Pendant un semestre, elle est même sortie avec un étudiant juif, un Américain de Boston venu terminer son doctorat en théologie à l'Université Hébraïque de Jérusalem. Son père en a eu vent — comment, elle ne l'a jamais su… — et elle a été forcée de rompre immédiatement. Il s'appelait Michael Weiss, et lorsque Samira prononce son nom, il y a dans sa voix un mélange de malice, de dépit et de mélancolie.

Cet aveu était le prétexte que j'attendais. Comme ça, de but en blanc, je lui ai raconté mon histoire, celle de mes parents, l'exil de maman, sa rencontre avec mon père, un immigrant juif marocain. Samira s'est tournée vers moi, incrédule. Puis son visage s'est éclairé, comme si elle venait d'être reconnue, comme si elle avait trouvé en moi une alliée inespérée. Elle voulait tout savoir : quelle avait été la réaction de leurs familles, comment ils m'avaient élevée, ce que chacun d'eux m'avait transmis. J'étais touchée par sa curiosité et surprise de constater qu'elle ne m'en voulait pas de ne pas m'être confiée à elle plus tôt. Cette révélation, bien sûr, demeurerait notre secret. Mais je sentais bien qu'en m'introduisant chez elle, c'était une victoire de plus qu'elle remportait, à leur insu, sur ses parents.

Pendant toute la durée du repas, Samira me regardait d'un air espiègle. Elle m'observait comme si elle était la seule à me voir, comme si tous les autres — ses parents, son frère aîné, sa tante — avaient été aveugles à ma présence. De temps à autre, Samira surveillait son père du coin de l'œil ; on aurait dit qu'elle espérait et redoutait à la fois qu'il découvre la vérité. Pour ma part, je demeurais appréhensive. À tout moment, je m'attendais à une question inquisitive de sa part : « Que fait votre père ? Avez-vous encore de la famille au Liban ? Quels sont vos projets d'avenir ? » Petit de taille, les yeux très profondément incrustés dans leurs orbites, le teint pâle, les joues flasques, presque imberbes, le père de Samira n'est pourtant pas de nature à impressionner. Mais on lit, malgré l'indigence et la mollesse de ses traits, une détermination inquiète dans son regard, un désir pénétrant de s'introduire en l'autre, de mettre à nu ses pensées secrètes.

Malgré mes craintes, la conversation, ponctuée de longs silences, est demeurée plate et sans écueil. Après le repas, Samira et moi sommes montées dans sa chambre pour y prendre quelques livres. Au moment de notre départ, son père m'a serré la main en me disant : « Revenez nous voir, vous êtes ici chez vous. » Il ne souriait pas mais, dans son regard, la froideur de tout à l'heure avait fait place à une timide bienveillance.

Dehors, le vent s'était levé. À l'embouchure de la rue El Hariri, nous avons longé les jardins Rockefeller desquels s'échappait une nuée fraîche, parfumée par l'odeur prégnante des eucalyptus et des épicéas. Samira a glissé son bras sous le mien. Dans l'obscurité profonde, je ne distinguais pas son visage, mais je l'imaginais en train de sourire. Je sentais dans son silence que cette soirée nous avait rapprochées et l'avait éloignée un peu plus des siens.

*   *   *

Samira lui a donné rendez-vous au café de la cinémathèque, dans le quartier de Yemin Moshe. Voilà plus d'une demi-heure que Daniel l'attend. Il regarde tantôt sa montre, tantôt le papier sur lequel il a noté l'adresse.

Non, il n'y a pas de doute, il ne s'est pas trompé. Enfin, une voix essoufflée se fait entendre derrière lui, une main effleure son épaule :

— Je suis désolée, l'autobus ne venait pas. J'ai fini par prendre un taxi. Mais la circulation, à cette heure-ci…

Son chignon s'est défait et, sur son front, la sueur a collé de courtes mèches noires qui la font ressembler à un pâtre romain.

— Alors, s'empresse-t-elle de lui demander, vous avez reparlé au commissaire ?

— Oui.

— Et puis ?

— Il a prétendu ne pas vouloir m'inquiéter. Pour vous parler franchement, je ne crois pas que la police prenne cette affaire très au sérieux.

— Ils attendent peut-être d'avoir plus d'éléments.

— Vous croyez ? Tout de même, ça fait plus de deux semaines…

Daniel s'interrompt. Son regard se perd au loin, au-delà des pierres blanches de Yemin Moshe. Après un long silence, il reprend :

— Je dois vous dire, j'ai rencontré l'ancien ami de Sara, Avner. Vous le connaissez ?

Samira sourit.

— Oui, un peu. Il n'a pas dû vous dire beaucoup de bien de moi…

— Non, en effet. Qu'est-ce qu'il a contre vous ?

— C'est compliqué… Mais, en deux mots, il croit

que c'est à cause de moi que ça n'a pas fonctionné entre Sara et lui.

— Il pense que vous l'avez influencée…

— Oui. Mais la vérité est que Sara n'a jamais été amoureuse de lui. La première fois qu'elle m'a parlé d'Avner, on aurait dit qu'elle en avait presque honte. Il n'était pas du tout son genre, mais elle le trouvait gentil. Je crois qu'elle était probablement touchée par lui, elle était surprise de l'intérêt qu'il lui témoignait. Au début, il était très aimable. Très attentionné. Un parfait gentleman. Les repas au restaurant, les concerts, les petits cadeaux… C'est difficile de ne pas être sensible à tout ça. Mais au bout du compte, ça ne suffit pas. Il faut une étincelle, un peu de mystère… Sara s'en rendait bien compte ; elle n'avait pas besoin de moi pour ça.

— Alors, c'est elle qui l'a quitté ?

— Oui, bien sûr.

Daniel fronce les sourcils.

— Vous n'avez pas l'air de me croire… Ah ! Je comprends. Ce n'est pas ce qu'Avner vous a dit, évidemment. Il a dû vous raconter qu'ils se sont rendu compte qu'ils n'étaient pas faits l'un pour l'autre, qu'ils se sont quittés « d'un commun accord ». Ça ne me surprend pas. En fait, il a très mal pris leur séparation.

— Il a cherché à la retenir ?

— Oui, on peut dire ça. Au début, il l'a laissée tranquille. On aurait pu penser qu'il l'avait oubliée, qu'il avait tourné la page. Mais au bout de quelques semaines, il a recommencé à l'appeler. Il insistait pour la revoir, il voulait s'expliquer. Très vite, ces appels ont pris une tournure menaçante. Il appelait très tard le soir et, lorsqu'elle ne répondait pas, il continuait d'appeler, sans arrêt, à tel point que Sara était obligée d'éteindre son téléphone.

— Il savait que Sara était avec Ibrahim…

— Oui. Je ne sais pas comment il l'a appris, parce que Sara ne lui en a jamais parlé. Elle le soupçonne de l'avoir suivie. Et puis, c'est à ce moment que les téléphones anonymes ont commencé. Et les lettres.

— Vous croyez qu'Avner serait capable de…

— Je ne sais pas. Je ne le connais pas bien, mais je peux vous dire que c'est un type imprévisible. Il peut se montrer avenant et charmant, et le moment d'après, on ne sait pas ce qui lui prend, il a des accès de colère…

Samira lève les yeux vers Daniel. Il a le visage blême, le front couvert de sueur, ses doigts tremblent légèrement.

Samira approche sa chaise de la sienne, pose la main sur son bras. Les pointes de ses cheveux, durcies comme des pinceaux, effleurent la joue de Daniel.

— Allons, allons, ça ira, vous verrez.

Des mots creux, des mots qu'on retrouve dans toutes les langues et qui, d'une langue à l'autre, portent le même poids du vide. Mais c'est la voix de Samira qui le réconforte. Elle n'est rien que ça : une voix, un peu de vie venue se blottir contre la sienne, comme un animal dans la nuit.

＊　　＊　　＊

Jérusalem, le 8 décembre 2008
Belle production de la pièce de Tom Stoppard, Rosencrantz and Guildenstern Are Dead, *au théâtre de l'université. Une pièce un peu trop cérébrale mais pleine de
perles. Ma citation préférée :* « Life is a gamble at terrible
odds — if it was a bet you wouldn't take it. » *Oui mais
n'est-ce pas justement parce que nous n'avons pas choisi de
naître que nous tenons tant à la vie ?*

Jérusalem, le 9 décembre 2008
*J'ai raconté à Samira ma rencontre avec Avner. Ç'a été
comme une révélation. Dès les premiers mots, dès que j'ai
prononcé son nom, je me suis rendue à l'évidence : je ne
suis pas amoureuse. Tous mes questionnements, mes hésitations, mes efforts pour l'imaginer beau, séduisant et
tendre ne sont qu'un exercice élaboré et futile pour m'inventer des sentiments. Il n'a pas fallu longtemps à Samira
pour comprendre, d'ailleurs :* « Tu cherches tellement à me
convaincre qu'il est attachant, doux, généreux… On dirait
que tu n'y crois pas du tout toi-même ! Et puis, tu répètes
toujours qu'il est gentil. Enfin, on ne tombe pas amoureuse
de quelqu'un parce qu'il est gentil ! »

*Et pourtant, lorsqu'il appellera, je lui dirai oui. J'ac-
cepterai son invitation au restaurant. Nous irons peut-être
au cinéma. Et lorsqu'il me prendra la main, je ne la retire-
rai pas.*

Première conclusion : contrairement à ce que je vou-

drais me faire croire, je n'ai pas envie de rester seule. C'est de l'égoïsme pur, bien sûr, mais j'ai besoin de me sentir aimée ; et ce besoin, en ce moment, est bien plus fort que celui de tomber amoureuse.

Deuxième conclusion : à mon insu, je suis plus sincère avec Samira que je ne le suis avec moi-même. Ce journal, je ne cesse de me répéter que c'est pour voir plus clair en moi, pour mieux comprendre mes choix, mes décisions, mes contradictions. Mais, en réalité, ce n'est qu'un voile de plus que je jette devant mes yeux. Je me laisse berner par mes rêves et mes souvenirs, certaine que ma conscience, lucide et entière, sera un guide plus sûr que mes sentiments, auxquels je demeure résolument aveugle.

Jérusalem, le 10 décembre 2008
Avner parle rarement de politique. Mais ce soir, je ne sais pas, il a dû lire un article qui l'a troublé, ou bien peut-être voulait-il tout simplement me sonder, chercher à savoir « où je campais ». Il a commencé par m'interroger sur l'élection d'Obama et sur sa politique envers Israël. Je lui ai répondu qu'il était probablement trop tôt pour juger, mais que je croyais qu'une distanciation de l'administration américaine engagerait d'éventuelles négociations de paix sur une voie plus sûre.

Avner m'a regardée, scandalisé. Si les États-Unis desserraient leurs liens avec Israël, c'était la fin de tout ! Il fallait être complètement inconscient ou ignorant de la réalité pour ne pas le voir ! Entre la menace de l'Iran, du Hezbollah et du Hamas, que pourrait faire Israël ? Nous n'aurions pas le choix : nous devrions prendre les mesures nécessaires, faire face, seuls, à tous nos ennemis. Il s'emportait mais j'avais du mal à croire à sa colère. Il répétait, mécaniquement, des arguments que j'avais souvent entendus depuis mon arrivée en Israël : « La paix, la paix, Obama et les démocrates n'ont que ce mot à la bouche ! Moi aussi, je veux la paix ! Tout le monde en Israël veut la paix. Mais les Arabes, eux, qu'est-ce qu'ils veulent vraiment ? Il faut négocier, nous dit-on. D'accord, je veux bien, mais avec qui ? Avec le Hamas ? Ils ont beau jeu, les libéraux bien-pensants, de nous demander de parlementer avec l'ennemi ; ce n'est pas eux qui ont le dos à la mer, ce n'est pas à eux qu'on dit : "On va vous rayer de la carte !" »

J'aurais voulu lui répondre, tenter de l'éloigner de tous ces clichés qu'il débitait comme une leçon bêtement apprise. Mais à quoi bon ? Il m'aurait trouvée naïve ou, pire, condescendante. Pour Avner, je souffre du syndrome des Juifs de la diaspora : pleins de bonnes intentions, mais incapables de comprendre la complexité de la situation, les dilemmes et les impasses auxquels sont confrontés quotidiennement les Israéliens.

En ne disant rien, en ne lui révélant pas l'autre moitié de ce que je suis, je nous mens à tous les deux. Et cette excuse — qu'il ne comprendrait pas, qu'il ne pourrait m'accepter telle que je suis —, ce n'est qu'un faux-fuyant. Si j'étais plus intègre, je romprais tout de suite avec lui.

*   *   *

Jérusalem, le 12 décembre 2008
Ce que je sais d'Avner :

Il est plein de petites attentions. Chaque fois que nous nous voyons, il a toujours un cadeau : des truffes au chocolat, un collier en corail, un stylo-plume. L'autre soir, il m'a raccompagnée au Mont Scopus à pied et, constatant que j'avais froid, il a enlevé son veston et me l'a posé sur les épaules.

Il adore les assurances. Des heures durant, il m'explique, avec force détails, les avantages et les inconvénients de différents produits financiers. Celui-ci m'évite de payer des impôts à la source, celui-là rapporte peu au début, mais si on le laisse fructifier on obtient de gros bénéfices à long terme. Je fais un effort énorme pour ne pas paraître ennuyée.

Il rêve d'une famille. D'une femme aussi, bien sûr, mais d'abord et avant tout d'une famille. Il a tout prévu : trois enfants, idéalement deux garçons et une fille. Il a même déjà trouvé leurs noms : Shlomo, Avishai et Osnat.

Il n'aime pas que les hommes me parlent ou même me regardent. L'autre jour, nous prenions un thé glacé rue Dizengoff, et le serveur, un jeune homme trapu, musclé et très souriant, s'est attardé pour échanger quelques paroles sans conséquence. Il avait de la famille à Montréal, il parlait un peu français, il étudiait à l'université de Tel-Aviv. Pendant ce temps, Avner faisait semblant de ne pas écouter et consultait nonchalamment son BlackBerry pour se donner une contenance. Lorsque le serveur est parti, il m'a jeté un regard mauvais en disant : « Quel pauvre type, ce serveur, tu ne trouves pas ? »

Il mange cacher et va à la synagogue tous les samedis matin.

Il n'aime pas Samira.

Abraham est debout. Les mains sur son visage, il écoute.

Il attend la parole, née du silence, qui le nomme et l'appelle : « Abraham ! »

Bientôt, les mots affluent en lui.

Sa solitude est saturée de voix. Elles s'enchevêtrent, se multiplient, naissances qui l'arrachent au monde, nuages qui endorment son regard.

Laquelle est l'Unique ? Laquelle n'est pas la sienne ?

« Abraham ! »

« Me voici ! »

Comme un aveugle, sous l'assaut de mille murmures, il tâtonne, il s'égare :

« Mon Dieu, est-ce bien ta voix que j'entends ? »

Et pour toute réponse, à nouveau, le silence.

Les mains crispées sur son visage, Abraham cherche en lui-même la parole impérieuse qui autrefois lui paraissait si claire, si vivante : « Je serai ta promesse. Tu seras, dans le monde, mon passage. »

Mais ces mots qui se répètent dans le secret de son âme sont désormais éteints. Abraham tente de suivre leurs méandres, il s'efforce de retrouver l'immense lumière dont ils l'ont autrefois aveuglé.

En vain. Il ne recueille plus que des sons, rythme sans musique d'une rencontre oubliée.

« Des mots, des mots, encore des mots — ne me donneras-tu jamais rien d'autre ? J'ai tout abandonné pour toi. J'ai quitté la terre qui m'a vu naître, j'ai renié les hommes et leurs croyances — mais toi, quel signe m'as-tu donné de ta présence ?

« Pour toi, l'Unique, j'ai immolé les idoles de mon père, ces petits dieux dérisoires — mais eux, du moins, je pouvais les toucher, je pouvais les voir.

« Toi, quelle est ton existence, hors de moi ? Ta vie, ne l'ai-je pas rêvée ? Ton regard, ne l'ai-je pas dessiné sur le firmament ? Et ton silence qui me brûle le corps, ton silence qui hurle ma défaite, n'est-ce pas le pouvoir du monde, la seule vérité qui me reste ? »

3

Jérusalem, le 14 décembre 2008

C'est une bêtise. Je ne sais pas pourquoi je me suis laissé entraîner. Tout à l'heure, lorsque je me suis réveillée et que je l'ai vu endormi à mes côtés, j'ai été prise de panique. Je n'avais qu'une idée à l'esprit : « Il faut qu'il parte, il faut que je trouve un moyen de le faire partir. »

Je n'ai qu'un souvenir confus de la nuit dernière. Nous avons passé l'après-midi à la plage, près de Tel-Aviv. Il avait apporté un frisbee et tenait à m'apprendre à jouer. Sur le sable humide, nous avons beaucoup couru. Lui, surtout, parce que malgré ses conseils j'avais du mal à contrôler cet engin. Tantôt je le lançais dans la mauvaise direction et il atterrissait à dix mètres d'Avner, tantôt j'y mettais trop de force et le frisbee était emporté vers la mer. Sans une parole de reproche, Avner courait le chercher et, par gentillesse, il me criait, d'une voix résonnante : « Ne t'en fais pas, c'est le vent. Il y a trop de vent, aujourd'hui. »

Une fois revenus à Jérusalem, nous sommes allés manger dans un restaurant mexicain avec des amis d'Avner. L'homme, que je connaissais déjà, s'appelait Nathan. Avner et lui avaient fait leur service militaire ensemble. Il m'a serré la main vigoureusement, et son sourire, engageant et déterminé, était empreint d'une franchise presque professionnelle, comme si j'avais été une nouvelle cliente avec qui il était certain de conclure une bonne affaire. La jeune femme qui l'accompagnait se nommait Ronit mais se faisait appeler Lola, du nom de sa grand-mère. Petite et menue, elle se tenait très droite et posait sur moi un regard hautain et hiératique, comme si elle me dépassait d'une tête. Sachant que l'hébreu n'est pas ma langue maternelle, elle me parlait très lentement, en prononçant soigneusement chaque syllabe. Puis, pour être sûre que je la suivais bien, elle répétait la même phrase en anglais. À plusieurs reprises, j'ai été tentée de jouer l'idiote et de lui faire croire que je ne la comprenais pas du tout, mais je me suis retenue, par égard pour Avner.

Notre commande tardait à arriver, et le serveur, sur un signal d'Avner, nous apportait margarita sur margarita pour nous faire patienter. Je n'en étais qu'à ma deuxième et, déjà, je me sentais la tête légère. Je n'osais pas me lever pour me rendre aux toilettes, j'avais trop peur de tituber et de m'effondrer en chemin. De guerre lasse, Lola avait abandonné la partie. Elle s'était finalement rendu compte qu'il n'y avait rien à tirer de moi et avait cessé de me parler de ses études de design intérieur et du prix de l'immobilier à Tel-Aviv. Pour dissimuler son dépit, elle s'était tournée vers les deux hommes et suivait, les yeux écarquillés, leur conversation, qui consistait à échanger leurs souvenirs de l'armée. Ces histoires, je les avais déjà souvent entendues — la fois où ils avaient subtilisé la gourde d'un jeune officier et en avaient remplacé l'eau par de la vodka, celle où leur capitaine les avait surpris à jouer au poker, le soir, à la lumière de leur lampe de poche, et celle où, blessé à la jambe, Nathan avait passé un mois à l'hôpital, soigné par une plantureuse infirmière russe. De temps à autre, Lola intervenait, commentant leurs aventures et partageant les siennes. Pour provoquer leur rire ou leur étonnement, elle en rajoutait un peu, et eux, par courtoisie, tantôt s'esclaffaient, tantôt adoptaient des mines effarées.

L'effet combiné des margaritas et des récits consternants de Lola m'avait épuisée, et je n'avais qu'une envie : qu'Avner me raccompagne enfin chez moi. En sortant du restaurant, Nathan et Lola sont partis de leur côté et, aussitôt, je me suis sentie soulagée. C'était peut-être tout simplement par contraste avec la présence oppressante de ce couple, mais me retrouver seule avec Avner m'a semblé une douce récompense, comme si je n'avais pas rêvé d'autre chose pendant toute la soirée.

Comme je tenais, absurdement, à lui témoigner ma reconnaissance, je lui ai donné le bras. Il a dû interpréter ce geste comme un signe d'affection et, tout de suite, il a placé le sien autour de mes épaules. C'est à ce moment, je crois, que tout a basculé. J'avais trop bu et, pour la première fois depuis mon arrivée à Jérusalem, j'avais cessé de m'inquiéter de moi-même.

Le paysage s'était transformé autour de moi. Dans les rues encore animées, colorées par les rires des fêtards et les lumières crues des néons, ce n'était plus Avner qui marchait à mes côtés, mais un être imaginaire, un homme des possibles, celui dont l'ombre m'accompagnait, adolescente, lorsque je ne savais plus à quoi ressemblerait l'avenir.

Nous marchions en silence et, déjà, je savais que je dirais oui. Lorsque nous sommes arrivés au bas de l'immeuble, il ne s'est même pas arrêté pour m'embrasser, comme il le fait d'habitude. Il a simplement poussé la porte et m'a suivie à l'intérieur. D'un geste cérémonieux, il a ouvert l'ascenseur, m'invitant à entrer en inclinant légèrement la tête vers l'avant comme un liftier de grand magasin. Par politesse, je lui ai souri. Je le sentais me dévisager, me scruter, deviner ma peau sous mon corsage. Maintenant encore, je ne comprends pas ce qui s'agitait en moi. Était-ce du désir? De la peur? L'envie, tout simplement, de céder, de laisser cet homme décider dans l'espoir invraisemblable qu'il se transformerait, qu'il se révélerait cet être sublime et impossible qui a depuis longtemps déserté mon imagination?

Lorsque j'ai ouvert la porte de ma chambre, c'était comme si je trompais quelqu'un, comme si je violais un interdit. Nous nous sommes assis sur mon lit, il a posé sa main sur mon genou. Je gardais les yeux baissés, comme une enfant qu'on va réprimander. Alors, plaçant son index recourbé sous mon menton, il a soulevé ma tête et s'est penché vers moi pour que nos visages se rencontrent. Ses sourcils en accolade, son sourire retenu lui donnaient une expression plaintive et douloureuse, comme s'il lui pesait de savoir que je n'étais pas tout entière présente. Quelques gouttes de sueur perlaient le long de ses tempes, se frayant un chemin entre ses touffes de cheveux éparses. Je me suis dit: « Il devient chauve, déjà, à son âge. » Et j'ai eu de la peine pour lui. Est-ce ce début de pitié qui m'a empêchée de le repousser?

Assise à mon bureau, je le regarde dormir. Il ne se rend compte de rien. Je crois même qu'il sourit dans son sommeil. Il revit sa conquête, ses mains grasses qui me clouent sur le lit, mon corps, cette chose pâle et frêle qu'il possède enfin, son plaisir, surtout, et la certitude bienheureuse et aveugle que j'ai joui avec lui. Il est content de lui-même. Lorsqu'il se réveillera, il m'appellera, posera ses lèvres humides sur mon épaule et me demandera de lui préparer un café. L'après-midi, il viendra me chercher à la fac, et le soir, nous irons au restaurant. Après, il m'entraînera chez lui et la nuit d'hier recommencera.

Non. Impossible. Il faut tout de suite mettre les freins avant que les choses aillent plus loin. J'ai commis une erreur. Ça n'a rien à voir avec lui… C'est moi qui me suis trompée. Je l'aime bien, mais c'est tout. J'ai eu tort, je ne sais pas ce qui m'a pris. J'avais trop bu, peut-être; je me sentais seule, j'avais besoin d'être enlacée, j'étais émue par lui. Peu importe. Ce qui compte, c'est que ça ne peut plus continuer.

*   *   *

De : Daniel
À : Sara
Objet : Nouvelles de Montréal
Lundi 15 décembre 2008, 20 h 34

Ma chérie,
J'étais content de te parler hier. Je t'ai sentie un peu inquiète, pourtant.

Petit à petit, je m'habitue aux béquilles. Au département, tout le monde est soudain très gentil avec moi. On me sourit, on me demande ce qui m'est arrivé, on se précipite pour m'ouvrir les portes… Même Manon, la secrétaire, semble s'être adoucie. D'habitude, elle a toujours des reproches à me faire (je n'ai pas bien rempli tel formulaire, j'étais en retard à la dernière réunion…). Eh bien, figure-toi qu'elle m'a offert une boîte de chocolats ! Je n'en revenais pas ! On m'a invité à donner une conférence sur Rembrandt à l'université Columbia, au mois de mars. Je crois que je vais accepter.
Il a encore neigé aujourd'hui. Tu me manques.
Papa

*　　*　　*

Jérusalem, le 15 décembre 2008
Je n'ai pas eu le cœur de parler à Avner. Il m'a envoyé plusieurs textos pendant la journée. Je les ai à peine lus : « Je pense à toi… », « … ton odeur… », « … surprise ce soir ». Ce matin, quand il s'est réveillé, j'étais prête à partir pour me rendre à mon cours. Je l'ai laissé m'embrasser en lui demandant de bien refermer la porte derrière lui. « À ce soir ! » Il a prononcé ces mots et, soudain, j'ai réalisé la profondeur du fossé qui nous sépare. Pour Avner, tout est dit. Nous sommes un couple et ce soir, comme tous les couples, nous nous retrouverons, nous sortirons, nous souperons ensemble. Mais moi, je ne veux pas être un « nous », je ne

me vois pas avec lui, je n'ai pas envie qu'il fasse partie de ma vie.

Lorsqu'il a appelé ce soir, je n'ai pas répondu. Je lui ai simplement envoyé un texto pour m'excuser : j'avais une gastro et je resterais au lit pour me reposer.

*   *   *

Daniel règle l'addition. Samira l'attend dehors. La serveuse s'approche de la table et se penche pour ramasser un objet sur le sol. Ce sont les lunettes de soleil de Samira. Elle les tend à Daniel : « Elles sont à votre fille ? » Ce dernier regarde la serveuse, interdit. Il finit par prendre les lunettes sans se donner la peine de la détromper.

L'erreur de la serveuse tout d'abord le touche : elle n'a pas cru qu'il était le genre de type à se lier à une femme ayant la moitié de son âge. Mais bientôt, cette innocente vanité fait place à une douleur cinglante : non, Samira n'est pas sa fille. Sa fille, il en est sans nouvelles. Sa fille, elle a disparu. Depuis maintenant dix-huit jours.

Dehors, les rayons du soleil couchant enveloppent les passants d'une lumière aveuglante. Samira enfile les lunettes. Larges et bombées, comme des yeux d'abeille, elles couvrent la moitié de son visage.

— Vous devriez vous couvrir la tête, il fait encore très chaud, lui dit Daniel.

Pour ne pas le contrarier, Samira sort de son sac une casquette à rayures blanches et bleues et la place sur sa tête, légèrement de guingois :

— Voilà, maintenant, j'ai l'air d'une vraie touriste !

Ils traversent Yemin Moshe jusqu'à la porte de Jaffa, puis pénètrent dans le quartier arménien.

— Cet Ibrahim, vous le connaissez ?

— Pas très bien, répond Samira en relevant ses lunettes. Je l'ai rencontré quelques fois. Ces derniers temps, Sara me parlait beaucoup de lui. Elle était... elle est très amoureuse, vous savez.

— Je ne comprends pas pourquoi elle ne m'a jamais parlé de lui.

— Elle attendait que vous veniez lui rendre visite. Elle voulait que vous le rencontriez sans idées préconçues. Il faut dire... c'est un type un peu bizarre. Il vous regarde rarement dans les yeux, il a cet air légèrement perdu, comme s'il venait de débarquer et qu'il attendait qu'on lui donne des instructions. Ce n'est pas seulement qu'il bégaie, mais quand il vous adresse la parole, vous avez l'impression qu'il se parle à lui-même ou qu'il récite un monologue dans une pièce de théâtre.

— D'où est-il ? De Jérusalem ?

— De Nazareth, je crois. C'est là qu'habitent ses parents, en tout cas.

— Il est étudiant en archéologie, lui aussi ?

— Non, Sara et lui n'ont suivi qu'un cours ensemble. Il étudie la littérature. Sa thèse porte sur David Grossman. Lorsqu'ils ont commencé à sortir ensemble, Sara me racontait leurs conversations. Ça m'avait l'air assez intense. Il a des théories étranges… Sur Dieu, sur la religion…

— C'est-à-dire?

— Par exemple, il a expliqué à Sara qu'il n'était ni athée, ni agnostique, ni croyant au sens propre, mais qu'il était « post-athée ». En d'autres termes, après avoir perdu la foi et rejeté la religion dans toutes ses dimensions, il tente maintenant d'y revenir, de réintégrer la pratique dans sa vie, avec sincérité mais sans dévotion aveugle. En tout cas, c'est ce que j'ai compris des explications de Sara. Ils avaient tous les deux des conversations passionnées sur le Coran, les personnages bibliques, leur relation à Dieu. Mais face à l'enthousiasme de Sara, je me montrais toujours un peu sceptique — c'est dans ma nature, après tout — et, bientôt, elle a cessé de m'en parler.

Daniel imagine Sara et Ibrahim, allongés côte à côte, les yeux fixés au plafond, tard dans la nuit. Sara lui parle sûrement de sa mère, de sa maladie, de sa mort et de la crise qui a suivi. Elle se confie à ce jeune homme bizarre et il l'écoute. Elle lui raconte ses prières, sa certitude que Dieu guérirait sa mère et l'immense sentiment de trahison qui s'est emparé d'elle après la mort de Leila. Daniel, lui, ne l'a pas suivie dans ses prières. Il n'a jamais ressenti ce besoin. Il avait sa propre angoisse à gérer. Il ne fallait surtout pas se laisser submerger; Sara avait encore besoin de lui. Alors, il s'est lancé dans la peinture parce que c'était tout ce qu'il savait faire. Lui qui n'avait jamais peint que des portraits, il s'est mis à composer des paysages, des villes, des structures industrielles à l'état d'abandon, des scènes de ruine et de violence. Comme ça, il était sûr que les traits de Leila, son visage, ses mains, ne reviendraient pas, à la faveur d'un coup de pinceau trop ardent, s'immiscer subrepticement dans son tableau.

Maintenant, se dit-il, Sara a peut-être trouvé quelqu'un à qui se confier, à qui expliquer le vide et la perte de Dieu. Peut-être, justement, sont-ils ensemble en ce moment, peut-être se sont-ils isolés du monde et n'attendent-ils qu'un signe pour revenir à la civilisation et reprendre contact avec leurs proches?

*   *   *

Jérusalem, le 16 décembre 2008
Voilà, c'est fait. Je respire, enfin.

Hier, Avner est venu me chercher à la fac. Il a proposé de m'emmener chez lui pour me présenter à ses parents. J'ai poliment refusé, prétextant que je ne me sentais pas encore tout à fait rétablie. Nous nous sommes donc retrouvés dans un restaurant italien de Nahalat Shiva.

Tout en l'écoutant me décrire sa journée, je réfléchissais à ce que je lui dirais plus tard. Il fallait trouver les mots justes, ne pas hésiter, ne pas le blesser inutilement et, surtout, ne laisser aucune place au doute. Pas de « je suggère que nous arrêtions de nous voir pendant quelque temps, que nous prenions le temps de réfléchir… » Non, il fallait éviter toute ambiguïté, sinon je ne m'en sortirais jamais.

Les yeux fixés sur les murs en stuc décorés de fresques champêtres bleu et rose, je sentais son regard posé sur moi. Ni admiration, ni tendresse, ni désir, même. Il n'y avait dans son expression que la certitude que j'étais à lui, que sa quête était terminée et que son rêve insignifiant — une famille rangée dans une vie rangée —, au sommet duquel trônait une femme obéissante et fertile, pouvait enfin advenir. J'exagère peut-être un peu, mais c'est l'image que j'avais devant les yeux pour m'aider à rompre.

Dès que j'ai ouvert la bouche, il a compris. Son visage, auparavant animé, anticipant déjà les plaisirs du soir, s'est soudain contracté, ses sourcils se sont froncés, sa bouche a repris sa moue de dépit habituelle.

Pour une fois, je n'ai pas cherché mes mots. J'avais bien préparé mon petit discours. « Tout s'est passé trop vite. Ça n'a rien à voir avec toi. Je ne sais pas vraiment ce que je veux, je ne suis pas prête, etc. » Il a insisté un peu : « Je ne comprends pas, je croyais que nous étions bien, ensemble. » En effet, dans sa tête, il devait y avoir toutes sortes de projets, une vie partagée, et c'était cet avenir qui d'un seul coup lui était arraché. Lorsqu'il m'a demandé s'il y avait quelqu'un d'autre, je n'ai pas voulu lui mentir. J'ai répété qu'il n'avait rien à se reprocher, que tout était de ma faute, que c'était moi qui nous avais entraînés dans cette impasse.

Constatant que je ne reviendrais pas sur ma décision, quelles qu'aient été mes raisons pour rompre, Avner a demandé l'addition et s'est levé pour partir. Il évitait mon regard, comme si, déjà, je n'étais plus là. C'est alors que j'ai lâché la petite phrase terrible, cette phrase lâche et sans appel qui fait capituler les rêves et annule même le passé : « Tu sais, je voudrais que nous restions amis. » Il a fait semblant de ne pas entendre, et nous sommes montés dans sa voiture.

Aujourd'hui, il n'a pas appelé. Toute la journée, j'ai vérifié mon téléphone, redoutant qu'il m'ait envoyé un texto. Mais heureusement, rien.

Je me sens enfin soulagée, mais pas tout à fait libre encore. Sa présence continue de m'accompagner, elle me colle à la peau, non comme un poids ou un mauvais souvenir, mais comme une menace dont on pressent à peine les contours.

Jérusalem, le 17 décembre 2008
En fait, je n'ai pas tout dit. Avner ne s'est pas mis à pleurer, c'est vrai ; il n'a pas montré sa peine. Nous avons évité le mélodrame. Mais au retour, dans sa voiture, j'ai eu très peur. J'avais à peine refermé la portière qu'il a donné un grand coup sur l'accélérateur. Au premier feu rouge, il a freiné si brutalement que mon front a failli frapper le tableau de bord. Je me suis tournée vers lui. Il avait les yeux rivés sur le feu de circulation, la bouche tendue, les mains crispées sur le volant.

Lentement, sans me regarder, Avner s'est penché vers la boîte à gants, en a sorti un CD et l'a introduit dans le lecteur. Les vitres de la voiture se sont mises à vibrer furieusement : c'était un solo de congas, une salsa infernale à réveiller les morts. Impassible, Avner est reparti sur les chapeaux de roues, faisant crisser les pneus sur la chaussée humide. Un pied sur l'accélérateur, l'autre sur le frein, il klaxonnait fiévreusement, terrorisant les piétons et provoquant des regards effarés à tous les coins de rue. Aux feux rouges, il faisait gronder le moteur avec impatience. La frénésie de la musique semblait dicter ses mouvements, et lorsqu'il accélérait pour dépasser une voiture, c'était au rythme endiablé des congas de Poncho Panza.

Je ne sais pas ce qui lui a pris. Était-ce la frustration d'avoir accepté, sans protester, notre séparation? S'en voulait-il soudain de ne pas s'être défendu, de ne pas avoir tenté de me retenir? Ou bien cherchait-il tout simplement à m'effrayer? Il voulait peut-être me prouver qu'il était pour un bref instant maître de ma vie et que, si je m'en sortais indemne, c'était grâce à sa magnanimité.

Sur la route qui menait à la résidence du Mont Scopus, Avner a refusé de ralentir, malgré mes supplications répétées. Au contraire, il laissait la voiture déraper dans les virages serrés et, comme un fugitif certain qu'il sera rattrapé mais poursuivant sa course folle avec une détermination perverse, écumant de rage, il donnait de violents coups d'accélérateur, frôlant dangereusement les voitures qui s'approchaient dans l'autre sens. Je n'osais pas regarder la route. Je ne pensais qu'au moment où je serais enfin arrivée, où je pourrais sortir de cette voiture infernale (plus que cinq minutes, plus que quatre… allez, il faut tenir le coup).

Finalement, dernier coup de frein, dernière secousse, nous sommes arrivés à la résidence du Mont Scopus. Je me suis précipitée hors de la voiture, abandonnant sur la banquette arrière un sac de plastique contenant les disques et *l'écharpe qu'il m'avait prêtés. Je ne me suis pas retournée, mais j'ai senti son regard m'accompagner. Un regard mort, capable de tout.*

*   *   *

C'est grâce au professeur Oren que Daniel a obtenu le numéro de téléphone de Tamar, l'amie de Sara. « Je ne suis pas censé faire ce genre de chose, mais étant donné les circonstances… », a capitulé Oren d'un ton hésitant.

Au téléphone, Tamar s'est montrée avenante. Sa voix était empreinte d'inquiétude, d'une sympathie sincère, dénuée de pitié. Elle a insisté pour inviter Daniel chez elle.

Dans l'escalier de l'immeuble, Daniel est assailli par une odeur de peinture fraîche qui, un bref instant, le transporte loin dans le passé, le jour de la rentrée, lorsqu'il amenait Sara à l'école et qu'ils longeaient ensemble les couloirs redevenus blancs, comme par miracle, pendant l'été.

La jeune femme lui ouvre la porte et le fait pénétrer dans un salon poussiéreux, meublé d'une table basse et de sofas recouverts de draps gris. Le sol est jonché de boîtes de carton.

— Je vous remercie de me recevoir, s'empresse de dire Daniel. Vous êtes sûrement très occupée… avec votre déménagement…

— Mais pas du tout, je vous en prie, répond Tamar d'une voix chaleureuse.

Elle l'invite à s'asseoir, s'éclipse dans la cuisine et revient bientôt, portant sur un plateau une théière en argent et deux tasses.

— Vous avez rencontré Sara à Khirbet Qeiyafa, n'est-ce pas ? demande Daniel.

— Oui, Sara et moi étions dans la même équipe pendant les fouilles. Elle aimait beaucoup cet endroit et elle avait hâte d'y retourner, je pense.

— Vous vous voyiez souvent ?

— Oui, surtout depuis Gaza. Au moment des attaques, en janvier, je l'ai entraînée dans une manifestation. Nous déjeunions régulièrement ensemble ou avec un groupe d'amis. C'était difficile pour elle, je crois… Cette double identité. Elle était souvent en porte-à-faux… Mais lorsque nous étions toutes les deux, elle se sentait plus en confiance. Elle m'a souvent parlé de sa mère — et de vous, aussi, ajoute-t-elle en souriant.

— Ces derniers temps, demande Daniel, elle ne vous a pas paru inquiète ?

— Si. Plus qu'inquiète. Elle avait peur… Vous êtes au courant de sa relation avec Avner ?

— Oui, elle m'en a parlé. J'ai été le rencontrer il y a quelques jours…

— Qu'avez-vous pensé de lui ?

— Il m'a paru plutôt aimable. Mais on m'a dit qu'il a mal pris leur séparation.

— Plutôt, oui. Il n'arrêtait pas de l'appeler, de la

harceler… Je lui ai proposé de parler à Avner, mais elle a refusé. Elle craignait d'envenimer la situation. Pourtant, la dernière fois que nous nous sommes vues, c'était autre chose qui semblait l'inquiéter. Elle me parlait d'un cousin d'Ibrahim, un certain Tareq.

— Il lui voulait du mal?

— Non, pas à elle — je ne crois pas qu'elle l'ait même rencontré. Mais il en avait contre Ibrahim, semble-t-il. Une histoire de rivalité… Je n'ai pas bien compris et comme je la voyais hésitante, je n'ai pas voulu lui poser trop de questions.

— Vous pensez qu'Ibrahim et elle auraient eu peur et seraient partis ensemble?

— C'est possible. Depuis sa disparition, je me suis parfois demandé… Et puis, non, ce n'est pas très plausible…

— Que voulez-vous dire?

— Je ne sais pas… Je me suis dit que si elle avait voulu fuir, trouver un refuge quelconque, elle serait peut-être retournée au site de Khirbet Qeiyafa…

*   *   *

De : Daniel
À : Sara
Objet : Un beau film
Vendredi 19 décembre 2008, 23 h 14

Ma chérie,
La session est enfin terminée ! Ce soir, j'ai loué un film
israélien, *Bonjour Monsieur Shlomi.* J'ai pensé à toi.
C'est l'histoire d'un garçon de seize ans qui se consacre
à tous ceux qui l'entourent — son grand-père en
fauteuil roulant, sa mère (une marâtre), les jumeaux de
sa sœur… Il s'oublie lui-même dans son dévouement,
jusqu'à sa rencontre avec Rona, la jardinière du
quartier. Un film un peu fou, un peu tendre — tu
aurais aimé, je crois.
Au fait, tu ne me parles plus de ce garçon, Avner…
Je t'embrasse très fort,
Papa

De : Sara
À : Daniel
Objet : Un beau film
Samedi 20 décembre 2008, 8 h 02

Bonjour papa,
Merci pour ton message, tu m'as donné envie de voir ce
film.
Avec Avner, en fait, ça n'a pas marché. Je t'expliquerai
au téléphone.
Bisous.
Sara

*   *   *

Jérusalem, le 22 décembre 2008
Depuis quelques jours, je me suis remise à étudier. Je lis avidement. Mon mémoire sur les fouilles de Khirbet Qeiyafa avance bon train (même si, bien sûr, nous n'avons trouvé aucune trace du fameux combat entre David et Goliath). Le soir, Samira et moi sortons souper, seules ou avec des amis. J'ai le sentiment d'avoir retrouvé ma vie là où je l'avais laissée. De temps à autre, à la faveur d'un air de salsa ou lorsque je croise dans la rue un homme qui porte le même après-rasage, le souvenir d'Avner effleure un bref instant ma pensée. Mais je m'y attarde à peine.

Jérusalem, le 23 décembre 2008
J'ai revu Deconstructing Harry, *de Woody Allen, à la cinémathèque. Il y a des scènes très drôles, mais la fin est pleine de sagesse, une sagesse grinçante, un peu moqueuse :* « All people know the same truth. Our lives consist of how we choose to distort it. »

Jérusalem, le 26 décembre 2008
J'ai soupé avec Dov et Tamar, ce soir. Au lieu d'aller au restaurant, ils m'ont invitée chez eux. Ils viennent de s'installer ensemble, au onzième étage d'un immeuble du quartier de Givat Tsarfatit.

Tout de suite, Tamar s'excuse : ils n'ont pas encore eu le temps de défaire toutes les caisses, ni de tout nettoyer (« Si tu avais vu dans quel état les anciens locataires ont laissé l'appartement ! »). Tout en me servant à boire, Dov contredit gentiment Tamar : « Ce n'était pas si sale que ça. La vérité, c'est que tu as des standards si élevés que même chez la reine d'Angleterre tu trouverais que ce n'est pas assez propre ! » Tamar se contente de lui sourire et me prend par le bras pour continuer la « visite du palais ».

Leur chambre à coucher donne sur un balcon que Tamar a déjà décoré de fleurs. Au loin, on aperçoit les cyprès du Mont Scopus. La salle de bains est inondée de soleil. « Nous n'avons pas eu le temps d'installer les stores, alors le soir, on se douche dans le noir », m'explique Tamar. Nous longeons un couloir étroit dont les murs sentent encore la peinture fraîche. Puis nous pénétrons dans la cuisine, une pièce étroite dans laquelle s'accumulent, pêle-mêle, balais, serpillières et lingettes désinfectantes.

De retour dans le salon, nous retrouvons Dov en train de mettre la table. Tamar s'approche et, sans lui faire de reproche, corrige discrètement ses erreurs : le couteau à droite, bord tranchant du côté de l'assiette, la cuillère et la fourchette à dessert bien alignées, le verre à vin légèrement à droite du verre à eau.

Je regarde les boîtes encore remplies de bibelots entassées contre les murs de la salle à manger, les piles de livres poussiéreux, les vêtements épars. Malgré ce fouillis, il se dégage de ce lieu un étrange sentiment de permanence, d'ordre, d'impénétrable intimité. Dans chaque regard qu'échangent Dov et Tamar, on croirait entendre résonner leurs voix confiantes : « Nous serons encore ici dans vingt ans. » Malgré les tourments, les inévitables déceptions, les coups durs, les haltes, les reculs, chacun trouvera en l'autre le socle promis, le seuil qui l'accueillera. L'évidence du couple est la loi qui ordonne désormais leur existence.

Je suis heureuse pour eux, pour Tamar, surtout, qui

est si pleine d'attentions pour moi. Je ne suis pas envieuse
— ou si, peut-être un peu. Parce que je me sens parfois
égarée, parce que je ne sais pas si je pourrai jamais aspirer
à tant de certitude.

*   *   *   **

De : Daniel
À : Sara
Objet : Montréal sous la neige
Samedi 27 décembre 2008, 15 h 31

Ma chérie,
J'étais déçu d'apprendre que ça n'avait pas marché avec
Avner. Mais d'après le peu que tu m'en as dit au
téléphone, il me semble, en effet, que c'est mieux
comme ça. Quand on n'est pas amoureux, il ne faut pas
insister.
Hier, encore une tempête. Je suis resté enfermé dans
l'appartement et j'ai passé la journée à corriger des
copies.
Demain, je pars pour Sainte-Marguerite. Les Boisvert
m'ont invité à leur chalet pour quelques jours. Nous
célébrerons le Nouvel An ensemble. Si tu veux, tu peux
m'appeler sur mon cellulaire.
Je t'embrasse tendrement,
Papa

L'inquiétude, étouffante et vaste, continue d'accompagner Daniel, dictant chacun de ses gestes, guidant chacune de ses pensées. Mais l'angoisse qui au début maintient un embargo tyrannique sur toute forme de joie finit, l'habitude aidant, par laisser se faufiler de petits plaisirs — promenade dans les rues silencieuses de Jérusalem à l'aube, salade aux épinards à midi, steak frites le soir et, pour l'aider à trouver le sommeil, tard dans la nuit, quelque film d'aventures américain qui ne risque pas de ressusciter ses souvenirs. Parfois, Daniel échangera une plaisanterie insignifiante avec le concierge de l'hôtel ou avec la serveuse qui lui apporte son jus d'orange quotidien. Il arrivera même qu'un sourire de Samira, une main posée sur son épaule, apportent à son esprit fébrile un bref répit, à la faveur duquel s'offrira à lui l'image d'un monde où tout est rentré dans l'ordre.

La routine n'éteint pas la peur, mais elle offre des balises qui, une à une, permettent à Daniel d'avancer dans le jour. D'abord, coup de téléphone au sergent Ben-Ami. Il fait le point, lui confie ce qu'il a appris — Sara se sentait menacée, Avner continuait de l'appeler et, contrairement à ce qu'il avait lui-même déclaré, elle recevait des appels anonymes, tard dans la nuit. De tout cela, le commissaire prend note scrupuleusement, même s'il laisse entendre à Daniel qu'il est déjà au courant. Puis, petit-déjeuner au restaurant de l'hôtel ou au

Starbucks du coin, suivi d'une longue promenade, généralement dans le quartier arménien. Ce n'est que l'après-midi que l'angoisse le ressaisit. Alors, les scénarios s'échafaudent à nouveau dans sa tête. D'abord, les plus optimistes : Sara s'est éclipsée avec Ibrahim. Amoureux fous, ils ont décidé de prendre des vacances sans rien dire à personne. Qui sait ? Ils sont peut-être même partis à l'étranger, à Chypre ou au Maroc. Mais les questions viennent peu à peu éroder cette hypothèse rassurante : pourquoi n'a-t-elle pas au moins appelé ? Pourquoi ne répond-elle pas à son téléphone ? Pourquoi n'a-t-elle avisé personne ? Alors, Daniel doit bien laisser revenir les pensées sombres : Sara et Ibrahim se sont-ils sentis menacés ? Par qui ? Ont-ils tenté de fuir ? Ont-ils été enlevés ? Attaqués ? Peu à peu, les mots s'évanouissent pour faire place à des images. Des images de violence qui s'enchaînent furieusement en lui. Des images qui le harcèlent et le poursuivent. Et son esprit affolé fuit vainement de l'une à l'autre, comme un renard traqué qui n'échappe à un premier chien que pour se jeter dans la gueule d'un second.

Le soir, après ses cours, Samira lui téléphone pour échanger des nouvelles. Daniel lui fait part de sa dernière conversation avec le commissaire, lui explique ses doutes, ses hypothèses. Parfois, elle vient le voir à son hôtel et ils prennent un café ensemble. Daniel lui pose aussi des questions sur elle, sur ses études, sur sa famille. Au début, il cherchait à être poli, mais lorsqu'elle lui a confié ses incertitudes ou qu'elle a évoqué ses relations tendues avec son père, Daniel a cherché à la conseiller, comme il l'aurait fait avec Sara. Et dans le rythme régulier qui organise maintenant son quotidien et sa peur, la voix de Samira, le soir, est devenue une halte espérée, attendue avec impatience, même s'il sait qu'elle ne lui apportera qu'un répit passager.

*   *   *

Jérusalem, le 28 décembre 2008
Gaza a été bombardée hier. Ici, à l'université, on ne parle que de ça. Samira est sous le choc. Elle d'habitude si diserte s'est réfugiée dans le silence. La colère l'étrangle. À mes questions, elle ne répond que par des hochements de tête. Elle ramène ses genoux vers sa poitrine, les entoure de ses bras et, dans l'alcôve qu'ils forment, fait disparaître son visage. Je l'imagine qui pleure, mais son expression est probablement figée, impénétrable, vidée de tout sentiment.

Jérusalem, le 6 janvier 2009
À la fin de son cours sur les guerres judéo-romaines, Yehuda Sofrim nous parle des « héros de Massada ». Leur suicide collectif, nous explique-t-il d'un ton solennel, soudain rempli d'émotion, est porteur de leçons auxquelles nous ne pouvons pas demeurer insensibles. Les assiégés de Massada ont accepté l'ultime sacrifice. Ils ont agi non par lâcheté mais, paradoxalement, pour la survie du peuple juif. Leur exemple a été une source d'inspiration à travers les âges ; et, face aux nouveaux dangers qui menacent

Israël, il est plus pertinent que jamais. Car, aujourd'hui encore, le peuple juif est isolé; aujourd'hui encore, ses ennemis souhaitent sa destruction; aujourd'hui encore, il doit faire face, seul, aux critiques et à la haine.

De la part de Sofrim, ce petit laïus est surprenant. D'abord parce que, dans ses cours, il n'est jamais question que des faits. Leur interprétation, l'analyse des « grandes tendances », ce n'est pas ce qui le préoccupe. Ensuite parce qu'il n'a pas l'habitude de partager avec nous ses opinions politiques. Au contraire, il s'efforce plutôt d'épurer son discours de toute référence à l'actualité, se contentant d'exposer, dans le détail, les dates, les forces en présence, les lieux des batailles, le nombre de morts.

Qu'est-ce qui l'a poussé, aujourd'hui, à nous révéler aussi ouvertement ses sentiments, à prendre parti de façon aussi explicite? Cette guerre a un drôle d'effet: ceux qui étaient déjà critiques à l'égard des autorités israéliennes y trouvent une justification de plus à leur hostilité et donnent libre cours à leurs récriminations, et ceux qui défendaient le gouvernement tout en lui reconnaissant des torts souscrivent maintenant sans hésitation au discours militariste et n'osent aucune opinion qui pourrait sembler dissonante. Comme dit Samira, ce n'est pas seulement Gaza qu'on bombarde, c'est le centre, les modérés, ceux qui croyaient encore à une paix juste.

Et moi, dans tout ça? Je ne ressens que de la colère et de la honte. Honte d'accepter mon impuissance face à cette guerre qui n'en est pas une. Honte de mon silence (mais n'est-ce pas pire de s'agiter, de condamner, de vilipender quand on sait que nos paroles demeureront sans effet?).

Honte de ne pas prendre parti et d'osciller sans cesse.
Honte de ne pas me reconnaître dans la souffrance des
Gazaouis, honte de ma bonne conscience de musulmane,
victime par procuration, héritière d'une offense que je n'ai
pas subie. Honte aussi de me sentir juive mais pas israé-
lienne, honte de ne pas vivre comme une menace l'op-
probre qu'on jette sur le pays.

Jérusalem, le 8 janvier 2009
Finalement, j'ai décidé d'accompagner Tamar à la mani-
festation. Nous étions une dizaine et, dans l'autobus qui
nous amenait à Tel-Aviv, nous parlions en petits groupes,
deux par deux, d'une voix feutrée, comme une bande de
cambrioleurs préparant leur prochain coup. Rue Dizen-
goff, à l'endroit d'où devait partir la procession, nous avons
rejoint une foule éclectique et bruyante. Des étudiants aux
yeux encore ensommeillés brandissaient des pancartes
dont les inscriptions au feutre noir commençaient déjà à
s'effacer sous la pluie fine : « Non à la guerre ! », « Cessez-
le-feu immédiat ! » Parmi eux, quelques types dans la qua-
rantaine, les mains dans les poches, jetaient des regards
inquiets à droite et à gauche, cherchant vainement à com-
prendre où étaient les leaders et qui donnerait le signal du
départ. L'un d'eux, un homme au visage émacié, à la barbe
grisonnante et dont le t-shirt portait l'effigie délavée de
Che Guevara, prenait des photos avec son téléphone cellu-
laire. Un autre s'était installé près d'un muret pour dégus-
ter tranquillement son petit-déjeuner.
Comme ces gauchistes vieillissants, je me cherchais,
moi aussi, une contenance. J'observais les autres tout en

faisant mine, en me dressant sur la pointe des pieds, de chercher quelqu'un. Un jeune homme courtaud, déjà ventripotent, affublé de lunettes rondes trop petites pour son visage boursouflé, se promenait de groupe en groupe, distribuant des pancartes et des tracts. J'ai tenté de lui sourire mais il est passé à côté de moi comme s'il ne m'avait pas vue. Au bout de quelques minutes, Tamar est revenue vers moi pour me présenter à ses amis, mais après les premières salutations et quelques sourires forcés, ils ont repris leur conversation sans se soucier de ma présence. Entre tous ces manifestants de bonne volonté et moi, je sentais un immense fossé.

Le groupe s'est mis en branle ; une longue file bigarrée serpentant dans les rues de Tel-Aviv. J'ai fait comme les autres : j'ai brandi ma pancarte, j'ai signé les pétitions que l'on faisait circuler, j'ai répété jusqu'à en perdre la voix les slogans scandés par le meneur de troupes. Vers midi, nous sommes arrivés devant la Kirya — les quartiers généraux du ministère de la Défense. Là nous attendaient non pas des représentants du gouvernement, mais un groupe de contre-manifestants, scandalisés que des Israéliens osent contester les actions de l'armée. De vifs échanges (« Rentrez chez vous, vous devriez avoir honte ! Vous n'avez rien de mieux à faire que d'attaquer la nation qui défend vos droits ? Vous n'êtes que des traîtres ! », « Nous avons le droit de nous faire entendre ! Les traîtres, c'est vous ! Nous, nous sommes la conscience de ce pays ! »), on est vite passé aux insultes, puis à l'empoignade et finalement à l'échauffourée. Sur la ligne de front, on échangeait des coups de poing, tandis qu'à l'arrière on lançait à l'adversaire toutes sortes de projectiles, pancartes, bouteilles d'eau, canettes de bière. Je suis partie au moment où les policiers arrivaient pour disperser les combattants. J'ai eu de la chance, je m'en suis tirée avec une ecchymose au bras. Lorsque Tamar m'a téléphoné, quelques heures plus tard, pour m'inviter à la rejoindre au café où elle s'était réfugiée avec un groupe d'amis, j'ai refusé, prétextant la fatigue.

Je suis revenue à ma chambre comme si je sortais d'un rêve. J'ai participé, oui, mais je n'étais pas vraiment présente. J'ai accompagné un groupe dont je me sens solidaire par les idées. Mais j'avais beau crier comme les autres, je ne ressentais ni leur colère, ni leur passion, ni leur immense certitude. Pourquoi avoir suivi Tamar et ses amis ? Simplement pour pouvoir me dire que je ne suis pas indifférente ? Que je suis, moi aussi, capable d'agir ? Mais une bonne conscience peut-elle réellement s'acheter à si bon marché ?

Ce soir, je ne regarderai pas les nouvelles. Je n'ai pas envie d'entendre les analystes pérorer sur cette insignifiante minorité de « traîtres », paumés et ingrats, qui mettent en danger la sécurité de la nation. Traître. Et s'ils avaient raison ? Si je n'étais qu'une traîtresse ? Mais pour ça, il faudrait que je me sente un peu juive. Or là-bas, dans la bousculade de la Kirya, sous la pluie de bouteilles et de canettes vides que les assaillants nous lançaient au visage, je n'étais pas du côté des manifestants. J'étais une intruse, une musulmane perdue parmi tous ces activistes qui ne voulaient que son bien, perdue parce qu'elle ne comprenait rien à cette haine, parce qu'elle ne savait plus, parce qu'elle ne voulait pas savoir où était la justice et qui avait raison.

De : Daniel
À : Sara
Objet : Manifestation à Tel-Aviv
Vendredi 9 janvier 2009, 20 h 40

Ma chérie,
Hier, j'ai été à l'hôpital pour me faire enlever mon
plâtre. Quel soulagement !
J'espère que tu vas bien. J'ai vu hier un reportage sur
une manifestation à Tel-Aviv contre la guerre de Gaza.
Les choses ont vite dégénéré, il y a eu des blessés. On a
dit que plusieurs étudiants de l'Université Hébraïque y
ont participé. J'espère que tu n'y étais pas. Prends bien
soin de toi.
Ton père qui t'aime.

De : Sara
À : Daniel
Objet : Manifestation à Tel-Aviv
Samedi 10 janvier 2009, 7 h 24

Bonjour papa,
J'ai entendu parler, en effet, de cette manifestation.
Rassure-toi, je suis restée bien au chaud dans ma
chambre. J'ai beaucoup de lectures à faire pour mon
mémoire. Je sors peu.
À l'université, l'atmosphère est très tendue. Les

142

opinions sont divisées. Dans un camp, ceux qui exigent la fin de l'offensive. Dans l'autre, ceux qui soutiennent l'armée et vilipendent les critiques.

J'ai hâte que cette « guerre » finisse.

Je t'appelle demain,

Sara

*   *   *

Jérusalem, le 12 janvier 2009

Conversation avec papa hier soir. Je ne lui ai pas dit que j'ai participé à la manifestation. Il se serait inquiété, il m'aurait assaillie de questions. Qu'est-ce que j'aurais gagné ? Il est loin, il a peur, il vaut mieux le protéger.

Jérusalem, le 15 janvier 2009

C'est toujours l'étrangère qui l'emporte en moi. Quand je suis avec Samira, avec sa famille, je me sens plus juive que jamais. Je comprends leurs plaisanteries, je partage leurs inquiétudes, je me scandalise des mêmes injustices. Mais je ne me reconnais pas en eux. Il me semble que ce serait trop facile. Ce serait me comporter en imposteur, abuser de droits qui ne sont pas les miens, me croire, à tort, unie aux autres dans la confiance d'une destinée commune.

Avec Tamar, avec Dov et leurs amis, c'est pareil. Ils me traitent comme si j'étais l'une des leurs et, de mon côté, je joue le jeu, tant bien que mal. Mais il y a en moi un grand silence et mon regard vient d'ailleurs. Ils parlent des

Arabes : « ils » sont trahis par leurs élites, la majorité d'entre « eux » veulent la paix, « ils » ont les mêmes aspirations, les mêmes ambitions que nous... En les écoutant, je ne peux m'empêcher de penser : « eux », c'est moi.

Parfois, je les envie. Samira, Tamar et Avner ont des attaches, ils sentent en eux le mouvement de l'histoire, ils connaissent les chemins du monde. Surtout, ils ne sont pas seuls. Les autres ne sont pas simplement « les autres », ce sont des amis, des proches, des compagnons de route.

Moi, je n'arrive pas, je n'arriverai jamais à dire « nous ».

Jérusalem, le 28 janvier 2009
L'armée israélienne s'est retirée de Gaza il y a une semaine. Dans les deux camps, on compte les morts. On parle maintenant d'enquête, de crimes de guerre, de procès.

À genoux, le dos courbé vers le sol, Abraham respire péniblement.

Ses doigts crispés contre ses tempes fiévreuses, il pleure de rage :

« Où est le signe, la preuve infaillible que tu n'es pas moi ?

« Permets-moi, mon Dieu, de sentir ta présence. Écris dans le ciel ton nom qui résonne en moi. Fais trembler de ta voix la nature aveugle. Dessine ton visage sur le flanc nu de la montagne.

« Tandis que tu te détournes de moi, je n'entends que les moqueries des hommes : "Abraham, tu n'es qu'un rêveur. Et ton Dieu, cette 'âme de tous les vivants', n'est qu'un de tes rêves idiots."

« Que puis-je leur répondre ? Où est la vague immense qui déferlera sur eux ? Où est le feu qui effacera à jamais leur mémoire ?

« Je n'ai, moi, que ma parole — et la tienne, qui ne s'est jamais descellée de mon cœur.

« Ne peux-tu pas, une seule fois, sortir de ma solitude ?

« Saurais-je jamais si ton souffle, que je sens mugir

en moi, est celui d'une autre vie ? Si je meurs, me survi-vras-tu ? »

Abraham, épuisé, éperdu, se précipite au bas de la montagne. Plusieurs fois, il tombe, puis se relève, les bras et le visage écorchés, les mains ensanglantées.

Il se retourne une dernière fois et, le regard fixé sur les brumes qui ceignent le mont Moriah, il murmure, comme s'il ne s'adressait plus qu'à lui-même :

« Mon Dieu, reviens vers moi ! Ma solitude a rempli ce monde, et ce monde est vide tant j'ai mis de désir à t'y trouver.

« Je serai plus proche de toi dans la mort, puis-qu'alors, du moins, mon absence sera à la mesure de la tienne. »

Abraham reste encore un long moment debout, le regard perdu au loin, bien au-delà de la montagne.

« Mais avant de mourir, il faut que je sache si vrai-ment tout est possible en ce monde. »

Et sur le long chemin du retour, ces derniers mots l'accompagnent, dictent ses pas, comme une sentence, seule lumière au sein du silence.

4

Jérusalem, le 4 février 2009

C'est la troisième fois. L'autre jour, lorsque je l'ai vu s'approcher avec la salière, j'ai été plutôt intriguée. J'étais au café de l'université, je venais de m'asseoir pour manger mon plat de frites quotidien et, comme il n'y avait pas de sel sur ma table, je m'étais levée en scrutant la cafétéria à la recherche d'une salière. Il avait dû m'observer, deviner mon intention et, sans me laisser le temps de quitter ma table, il est venu vers moi en me tendant l'objet, posé dans le creux de sa main comme s'il s'était agi d'une délicate sculpture de cristal. Avec sa longue barbe, ses lunettes épaisses et son chapeau de feutre râpé, il m'a fait penser à un Juif orthodoxe. J'ai remarqué ses yeux, surtout, d'un bleu intense, liquide et vibrant, qui faisaient contraste avec ses cheveux noirs. Il émanait de ce regard glacé une lumière si crue qu'on avait peine à en lire l'expression. J'ai accepté son offrande en le remerciant et il est aussitôt retourné s'asseoir à sa table, près de la baie vitrée.

Avant-hier, lundi, il y avait du sel sur ma table, mais le rabbin était quand même au rendez-vous. Cette fois, au lieu de me tendre la salière, il l'a posée furtivement sur la table et a tourné les talons sans me laisser le temps de lui adresser la parole. Aujourd'hui, même petit jeu : il est passé près de ma table la tête haute, le regard perdu au loin et, discrètement, du revers de la main, il a déposé une salière à côté de mon plat de frites.

Lorsque j'ai raconté l'épisode à Samira, ce soir, elle m'a regardée en souriant : « Tu sais, dans ce pays, on rencontre parfois des personnages un peu bizarres. Mais ton hurluberlu ne m'a pas l'air bien dangereux. La prochaine fois, tu devrais prendre les devants et lui apporter une salière, toi aussi. Qui sait ? Peut-être qu'il se décidera à te parler ? »

Jérusalem, le 6 février 2009
J'ai suivi le conseil de Samira. Je ne lui ai pas apporté de salière, mais je me suis approchée de sa table, près de la fenêtre, là où il a l'habitude de dîner. Il avait l'air très absorbé dans sa lecture — un livre en hébreu, dont je n'ai pas pu voir le titre. Lorsqu'il m'a aperçue, il m'a invitée d'un geste de la main à m'asseoir. Il n'a rien dit, il s'est contenté de me regarder en souriant. En trouvant l'audace d'aller vers lui, je ne m'imaginais pas que j'aurais en plus à faire l'effort d'initier la conversation.

Mais il se bornait à m'observer. Ses yeux, qui tournaient maintenant au vert cendré, étaient fixés sur moi comme si c'était à moi de m'expliquer. Pour ne pas laisser le silence s'installer, j'ai fini par lui demander ce qu'il lisait. C'est à ce moment que j'ai compris sa réticence à m'adresser la parole : il bégaie. Au prix de vaillants efforts, il a fini par me répondre : « C'est... c'est... un l... l... livre de David G... G... Grossman. » Et pour ne pas avoir à

prononcer le titre, il m'en a montré la couverture : Le Sourire de l'agneau.

C'est alors que j'ai cru reconnaître son visage. Je
l'avais déjà vu quelque part, mais où ? Dans les couloirs de
l'université ? À la résidence du Mont Scopus ? À la cinémathèque ? Finalement, je l'ai replacé : au début de l'année, il
suivait, lui aussi, le cours du professeur Barnathan sur
l'archéologie biblique. Mais après les deux premières
séances, on ne l'a plus revu. Je me souviens, il s'asseyait
devant, tout seul, et fronçait sans cesse les sourcils pour
mieux voir les images projetées sur l'écran. Pendant les
pauses, au lieu de venir prendre un café avec le reste du
groupe, il restait assis à sa place, le nez plongé dans un
livre, comme s'il était puni.

Je n'ose pas lui poser trop de questions, vu les efforts
qu'il doit déployer chaque fois pour me répondre. Mais
bientôt, c'est lui qui insiste pour me parler de ses lectures,
de ses études. C'est un passionné de David Grossman, de
Bialik et d'Agnon. Il tente de m'expliquer tant bien que
mal le sujet de sa thèse, puis, en désespoir de cause, il finit
par en écrire le titre sur une serviette de papier : « L'influence des récits bibliques sur la littérature israélienne
de 1948 à 1967 ».

Je voudrais en savoir plus, mais je préfère ne pas
insister. J'ai du mal à l'écouter buter sur chaque mot,
même si lui ne semble pas troublé outre mesure. Il évoque
les livres de Grossman, est étonné que je n'en aie lu aucun,
me promet de m'en prêter un. Je lui explique que je préfé-
rerais le lire en français, je ne me sens pas encore assez
solide en hébreu pour lire des romans. Il me contredit, il

trouve mon hébreu excellent — surtout l'accent, dit-il en levant le doigt d'un air professoral —, et puis, de toute façon, la langue de Grossman est très simple, très pure, je n'aurai aucun mal à m'y habituer.

De retour dans ma chambre, je n'arrive pas à me concentrer sur mon essai. Je continue de répéter le scénario de notre conversation et, c'est plus fort que moi, il me semble que l'essentiel m'a échappé. J'ai l'impression d'avoir rencontré un personnage de roman, pas tout à fait réel, trop bizarre, trop excentré pour ne pas avoir été inventé, mais trop vivant pour n'être que le fruit de l'imagination. Nous n'avons échangé que quelques mots, nous ne savons presque rien l'un de l'autre, et pourtant, j'ai le sentiment d'avoir été mise à nu et je regrette presque mes quelques paroles insignifiantes, parce qu'il me semble qu'elles m'ont trop entièrement révélée.

Jérusalem, le 10 février 2009
Il s'appelle Ibrahim. Il est né à Nazareth. Il n'est pas du tout rabbin.

Pourquoi ai-je tenu pour acquis qu'il était juif? À cause de ses vêtements, de son hébreu sans accent? Ou bien à cause de notre conversation sur ses lectures et son admiration pour David Grossman? Décidément, il faut vraiment que je sois pleine de préjugés pour penser que seul un Juif peut être passionné de littérature israélienne et préparer une thèse sur la Bible.

De : Daniel
À : Sara
Objet : Rembrandt
Mardi 10 février 2009, 7 h 28

Ma chérie,
J'étais content de te parler hier. Tu m'as paru moins
soucieuse.
La fin de semaine dernière, j'ai continué de préparer le
texte de ma conférence. Le professeur Bomgrich, qui
m'a invité à Columbia, m'a demandé de parler de mon
livre sur Rembrandt et Turner. Ça m'ennuie un peu.
Revenir, après toutes ces années, sur les idées de ma
thèse de doctorat, c'est un peu comme expliquer de
vieilles photos de famille à un inconnu. Ce n'est
vraiment pas ce dont j'ai envie en ce moment. Et puis,
toutes ces théories sur « la lumière comme médium de
la forme », elles m'apparaissent trop abstraites et
franchement dépassées.
Samedi, je serai à la campagne. J'attends ton appel
dimanche prochain.
Je t'embrasse,
Papa

De : Sara
À : Daniel
Objet : Rembrandt
Mercredi 11 février 2009, 6 h 45

Merci pour ton message, papa. Je suis contente que ton texte avance bien. Envoie-le-moi quand il sera terminé, j'ai bien envie de le lire. Je suis sûre qu'il n'est pas aussi mauvais que tu le laisses entendre.

Bisous,

Sara

*　　*　　*

En fouillant dans les papiers de Sara, Samira a trouvé l'adresse des Awad, les parents d'Ibrahim. Elle a convaincu Daniel de l'accompagner à Nazareth.

C'est la mère d'Ibrahim qui ouvre la porte. Daniel laisse à Samira le soin d'engager la conversation. Bien qu'il comprenne l'arabe, il le parle peu, et Samira est plus à même de mettre leur interlocutrice en confiance. Elle commence par s'excuser d'arriver à l'improviste, explique la raison de leur visite. Mme Awad, une femme dans la soixantaine, prématurément ridée mais dont le regard pétillant a dû abriter des rêves ardents, fronce d'abord les sourcils, suspicieuse, puis finit par les inviter à entrer. Ils la suivent dans un couloir sombre et humide qui mène au salon.

Sur l'étagère, au-dessus de la télévision, sont alignés des cadres de tailles diverses. Plusieurs photos représentent Ibrahim enfant. À côté de lui se tient un garçon de grande taille qui ne sourit jamais. Il s'agit probablement de Tareq. Dans la cour, on entend les poules qui caquettent furieusement, comme pour protester contre l'arrivée des intrus.

— Nous regrettons de vous importuner ainsi, commence Samira. Je… Nous sommes sans nouvelles de Sara depuis plus de deux semaines. Je sais que votre fils et elle étaient proches… Croyez-vous qu'ils pourraient être ensemble?

— Je ne sais pas. C'est possible.

Sa voix est éraillée, comme si elle avait beaucoup crié et venait tout juste de retrouver son calme. Samira insiste:

— Avez-vous parlé à Ibrahim récemment?

— Non. Il devait venir souper à la maison il y a quinze jours et…

Elle s'interrompt, sa voix se brise. Elle tente de refouler son angoisse mais, en dépit de ses efforts, son visage se décompose peu à peu, la douleur se faufile, se répand sur son front, crispe ses lèvres desséchées. Bientôt, la digue se brise, la femme éclate en sanglots.

Samira, d'abord confuse, se rapproche d'elle, pose sa main sur son bras:

— Je suis désolée… Je comprends votre inquiétude. Je me disais… Je pensais que vous saviez peut-être où ils ont pu aller.

La mère d'Ibrahim relève la tête, sort un mouchoir de sa manche pour éponger ses yeux. Elle pose sur Samira un regard qui pourrait paraître chaleureux et complice, mais sa bouche se déforme bientôt en un sourire amer et hautain:

— La police m'a posé les mêmes questions. Nous

avons eu droit à deux visites du commissaire lui-même, mon mari et moi. Il voulait connaître les allées et venues d'Ibrahim, savoir quand nous lui avions parlé pour la dernière fois, pourquoi il n'avait pas appelé, si son comportement avait changé récemment… Il nous a même demandé des photos de notre fils, soi-disant pour l'aider dans son enquête. Mais je ne suis pas dupe, je sais bien qu'il le soupçonne de vouloir du mal à votre fille, dit-elle en se tournant vers Daniel. Je ne serais pas étonnée que le commissaire pense qu'Ibrahim la retient prisonnière quelque part.

— Mais, c'est absurde ! Sara et Ibrahim sont très amoureux, répond Samira.

— Je sais, il l'a même emmenée ici, il y a quelques semaines. C'était au mois de mars, je crois. Il était si fier de nous la présenter… Ils paraissaient très heureux ensemble.

— Sara m'a parlé du cousin d'Ibrahim… Tareq… Peut-être…

Le visage de la femme se transforme à nouveau. Elle tourne vivement la tête vers Samira et lui lance un regard féroce qui veut dire : « Arrêtez-vous tout de suite. » Mais Samira poursuit, imperturbable :

— Il paraît qu'il y avait des tensions entre Tareq et votre fils…

Mme Awad fronce les sourcils. Sa voix est grave, menaçante :

— Qu'est-ce que vous insinuez ?

— Rien… Je me disais simplement…

— Laissez Tareq tranquille. Il n'a rien à voir avec

cette histoire. Ça ne suffit pas d'avoir la police qui me harcèle, il faut que vous vous en mêliez, vous aussi?

Son visage, blême il y a quelques minutes, a pris une teinte rosée. Quelques gouttes de sueur sont apparues au sommet de son front et glissent, comme des guirlandes de perles, le long de ses tempes. Ses mains tremblent de colère.

— Écoutez, reprend Samira d'une voix exagérément contenue, je ne veux accuser personne, je cherche simplement à comprendre. Sara a disparu subitement, sans avertir qui que ce soit. Ibrahim aussi. Tareq est son cousin. Il sait peut-être…

— Il ne sait rien. Je vous l'ai déjà dit, n'essayez pas de le mêler à tout ça! Tareq ne ferait de mal à personne. Comment osez-vous le soupçonner?

Étouffée par la colère, la femme a peine à respirer. Elle jette un dernier regard sur Samira et Daniel, un regard de dépit, de mépris et de haine. Puis elle se lève et se dirige vers la fenêtre, leur tournant le dos. Sa voix n'est plus qu'un grondement sombre, à peine audible :

— Maintenant, laissez-moi. Je vous en prie, laissez-moi.

*   *   *

Jérusalem, le 11 février 2009
J'ai dîné avec Ibrahim aujourd'hui. Cette fois, c'est lui qui est venu me rejoindre à ma table. Samira partait juste au

moment où il est arrivé. Je les ai présentés et, en quittant la cafétéria, Samira m'a lancé un regard que je n'ai pas su bien interpréter : voulait-il dire « drôle de type, en effet, mais il est plutôt sympathique », ou bien « méfie-toi, il ne me dit rien qui vaille » ?

Ibrahim s'est assis et, aussitôt, il m'a posé des questions sur Samira : d'où elle venait, ce qu'elle étudiait, depuis combien de temps nous nous connaissions. Peut-être avait-il senti dans son sourire, dans les quelques mots qu'elle avait échangés avec lui, l'ombre d'un jugement et voulait-il mieux comprendre à qui il avait affaire.

Puis, nous nous sommes mis à parler de cinéma, des réalisateurs que nous aimons : moi de Rohmer, lui de Bergman. Il venait de voir Les Communiants, un film angoissé sur la foi qu'il a décrit avec un enthousiasme tourmenté, comme s'il avait intimement vécu les questionnements du prêtre. « Tu comprends, m'a-t-il expliqué, ce n'est pas seulement le silence de Dieu que le prêtre, Tomas, trouve insupportable. C'est l'aberration qu'il est devenu en lui. Un dieu indifférent, qui ne peut rien pour les hommes, finit par devenir un monstre, un dieu-araignée. Pour le protéger, pour ne pas qu'il disparaisse entièrement, Tomas doit se résigner à en faire un dieu minuscule et personnel, qui n'a d'autre souci que sa propre existence d'homme et n'a plus aucune valeur pour les autres. C'est pour ça que Tomas lui-même devient impuissant : devant l'homme qui lui annonce qu'il a l'intention de se suicider, Tomas ne peut que confesser sa propre angoisse, prisonnière d'un dieu pauvre qu'il est seul à posséder et qui l'exile hors du monde. »

Tandis qu'il parlait du film, le débit d'Ibrahim s'est amélioré. Il butait encore sur certains mots mais, entièrement pénétré par son récit, il s'est un peu oublié et ne fuyait plus mon regard. Je n'ai pas su quoi lui répondre. Je ne connais rien de Bergman ni de ses questionnements métaphysiques. Je n'ai vu que Fanny et Alexandre *et n'en ai gardé qu'un vague souvenir : deux enfants martyrisés et un décor féerique. Alors, j'ai souri. C'était un sourire qui ne voulait rien dire, un sourire pour combler le silence, pour l'encourager à poursuivre. Mais Ibrahim n'a pas compris. Il a peut-être pensé que je me moquais, que je trouvais ses envolées spéculatives ridicules.*

« Mais je t'ennuie avec ces histoires. Je suis désolé, parfois c'est plus fort que moi, je me laisse emporter. » J'étais sur le point de protester mais, d'un geste de la main, il m'a fait comprendre que c'était inutile. « Tu sais, j'ai toujours eu tendance à réfléchir un peu trop. C'est une manière de tirer avantage de mes défauts : je bégaie, oui, je suis timide et maladroit, peut-être, mais au moins, j'ai des idées ! »

Il a posé les coudes sur la table et, après avoir rapproché son visage du mien, m'a raconté cette histoire : « L'été, je passais mes vacances chez ma tante, à Tira. Je ne m'entendais pas très bien avec mes cousins. Leurs jeux de guerre m'ennuyaient, et je préférais rester dans mon coin à faire des puzzles ou à construire des voitures en Lego. Pour se venger, mes cousins m'avaient surnommé "le philosophe". Je ne savais pas plus qu'eux ce que ce mot voulait dire, mais ce qu'il évoquait — les grandes idées, les vraies questions et une immense solitude — me convenait plutôt bien. Au lieu de protester, j'acceptais volontiers cette "insulte". Alors, furieux de mon indifférence, mes cousins m'avaient rebaptisé "le philosophe raté". Dix ans plus tard, j'étais inscrit en philosophie, à l'Université Hébraïque. Après plusieurs années d'infructueux efforts, constatant que je ne réussirais jamais à trouver, dans le brouhaha de ma tête, la rigueur et la méthode nécessaires pour devenir un véritable penseur, j'ai fini par abandonner et, par un drôle de détour du destin, je suis devenu, en effet, un philosophe raté. »

Je ne m'attendais pas à cette confession. Ibrahim souriait, et j'étais surprise de déceler dans son regard une fierté paisible et joyeuse. Comme s'il savait qu'en se montrant vulnérable il éveillerait non seulement ma sympathie mais mon admiration.

Jérusalem, le 13 février 2009
Ibrahim a un demi-frère, Tareq. Ils ne se parlent presque pas. Lorsque Ibrahim retourne voir ses parents à Nazareth, un week-end sur deux, Tareq le salue à peine. À table, il fait mine de l'ignorer, mais il ne manque pas une occasion de vilipender « ces collaborateurs qui s'acoquinent avec les Juifs, ces Arabes serviles qui, parce qu'ils étudient à l'université, s'imaginent qu'ils seront un jour traités en égaux ». Ces attaques à peine voilées n'affectent plus Ibrahim. Autrefois, il les prenait au sérieux. Il faisait l'effort de débattre avec Tareq, même s'il n'a jamais espéré le convaincre. Maintenant, il se réfugie dans l'indifférence.

Jérusalem, le 15 février 2009
« Comment va ton ami ? » Je n'ai pas tout de suite saisi ce
que Samira voulait dire. Puis, à son sourire espiègle, j'ai
compris. Elle parlait d'Ibrahim. Mon ami ? Ce mot m'est
apparu étrange. Ibrahim et moi dînons souvent ensemble ;
nous nous livrons beaucoup dans nos conversations ; je me
sens en confiance avec lui. Est-ce que ça en fait un ami ? Il
me semble que le mot ne colle pas bien, il faudrait un autre
terme, plus hésitant, moins définitif, plus empreint de pos-
sibles, peut-être.

*   *   *

De : Daniel
À : Sara
Objet : Rétrospective
Lundi 16 février 2009, 21 h 12

Ma fille chérie,
Tu te souviens de Patrick Brisson, le directeur de la
galerie L'Octo-puce, dans le Vieux-Montréal ? Celui
que tu appelais « Gargamel » quand tu étais petite,
parce qu'il portait toujours le même paletot noir et
qu'il se frottait les mains lorsqu'il riait ? Il est à nouveau
intéressé par ma série de « mappemondes
imaginaires » et veut organiser une rétrospective
l'automne prochain. J'ai pensé à maman et combien
elle aurait été contente. C'est elle qui m'avait donné
l'idée de peindre des cartes de pays inventés.

Et toi, comment vont tes cours ?
Ton père qui t'aime

*   *   *

Jérusalem, le 17 février 2009
Ibrahim m'a encore parlé de Tareq. En fait, ils ont été éle-
vés ensemble comme des frères, mais Tareq est son cousin.
Il a été recueilli par la famille d'Ibrahim après la mort de
ses parents.
    Au début, les deux garçons s'entendaient plutôt bien.
Ils avaient le même âge, partageaient les mêmes jeux, et
Ibrahim, entouré de sœurs, avait trouvé en Tareq un com-
pagnon et un complice. Pour la première fois, il n'avait pas
besoin de supplier Nouria, sa sœur aînée, de jouer au foot
dans la cour en attendant l'heure du repas. Et lorsque sa
tante ou sa cousine le rabrouaient en lui expliquant « qu'il
était trop jeune pour comprendre », il ne se sentait plus
aussi seul. Le vendredi soir, alors que la mère d'Ibrahim les
croyait endormis, les deux enfants regardaient ensemble
de grands livres d'images à la lumière d'une lampe de
poche, ou bien descendaient l'escalier à pas de loup pour
espionner les adultes qui prenaient le café dans le salon.
    La mère d'Ibrahim les traitait en égaux. S'il y avait
une différence dans son cœur, rien dans ses gestes ou ses
paroles ne le laissait soupçonner. Elle servait aux deux gar-
çons les mêmes plats, leur adressait les mêmes reproches
lorsqu'ils traînaient le matin, posait le même baiser sur

leur front après les avoir bordés le soir. Lorsque venait le moment de fêter les anniversaires, elle prenait soin de préparer le même gâteau, et jamais Tareq n'avait senti que les cadeaux qu'il recevait étaient de moindre valeur que ceux qu'on offrait à Ibrahim. Parfois, quand la mère surprenait les garçons à se disputer, son souci d'équité l'amenait à trancher en faveur de Tareq même s'il était dans son tort, simplement parce qu'elle redoutait que son amour maternel la fasse paraître injuste.

Ibrahim s'est interrompu et m'a regardée sans sourire. C'est sa manière de vérifier qu'il ne m'ennuie pas. Il y avait plus d'une heure que nous discutions, assis près de la fenêtre, à la cafétéria de l'université. La plupart des étudiants étaient retournés à leur cours et j'aurais dû avoir repris depuis longtemps mes lectures à la bibliothèque. Je songeais à l'essai que je devais remettre le lendemain matin, mais je me suis facilement convaincue qu'il serait toujours temps de m'y mettre, qu'une nuit blanche de plus serait sans conséquence, et j'ai fait signe à Ibrahim de poursuivre.

À la petite école, m'a-t-il expliqué, il a souffert des brimades de ses camarades. Son bégaiement prononcé attirait les moqueries et, par nécessité, Ibrahim s'était réfugié dans le silence. Pour ignorer plus aisément son entourage, il avait toujours un livre à la main et dès qu'on venait l'importuner il plongeait le nez dedans. Mais cette tactique ne faisait qu'attiser la cruauté des enfants de sa classe : « Attention, il ne faut pas déranger l'intellectuel, il lit ! » Ibrahim avait beau se concentrer, ses yeux demeuraient stupidement fixés sur la même phrase, le même mot. Sa volonté, inébranlable lorsqu'il s'agissait de résoudre un problème mathématique ou d'apprendre un long poème par cœur, demeurait impuissante face aux railleries qui déferlaient sur lui.

L'arrivée de Tareq a tout changé. Son père était mort pendant les émeutes de la mosquée al-Aksa, au mois d'octobre 1990. Tareq avait alors cinq ans. Six ans plus tard, sa mère est tombée gravement malade et, avant de mourir, a confié son fils à sa sœur, la mère d'Ibrahim. À l'école, le nouveau venu a immédiatement trouvé sa place. Fils de martyr, il éveillait à la fois la sympathie des professeurs et l'admiration de ses camarades. On lui pardonnait toutes ses frasques, et lorsqu'il se montrait un peu trop arrogant ou manquait de respect à un surveillant, on passait facilement l'éponge. Son caractère farouche et indépendant, loin de l'isoler, incitait les garçons à l'inclure dans leurs jeux et les filles à rechercher sa présence. À la cafétéria, même lorsqu'il choisissait de s'asseoir seul, l'un ou l'autre de ses camarades venait bientôt le rejoindre.

Son aura rejaillissait sur Ibrahim. Il n'était plus le bègue, l'intellectuel solitaire, il était le cousin de Tareq. Ses camarades le considéraient toujours avec méfiance, mais ils n'osaient plus se moquer de lui ouvertement. Les insultes murmurées dans les couloirs, « sale chouchou », « pauvre paumé », etc., avaient cessé et on se contentait de l'ignorer, ce qui convenait tout à fait à Ibrahim.

Bien sûr, la fierté d'Ibrahim n'était pas dénuée d'ambivalence. Il profitait de la popularité de son cousin (même les filles se montraient moins hostiles à son endroit), mais il devait désormais partager avec Tareq l'affection de ses parents — surtout celle de sa mère, dont il était très proche. Il n'était plus unique dans l'amour. Mais au lieu de résister, au lieu de réclamer sa place, Ibrahim a préféré se retrancher dans ses livres. Lorsque son père lui proposait d'aller jouer au foot avec lui, il ne refusait pas, mais le cœur n'y était plus. Si Tareq se joignait à eux et voulait être dans l'équipe de son père, Ibrahim n'offrait aucune opposition. Il était fatigué de garder les buts ? Parfait, Ibrahim prenait la relève. Tareq soutenait qu'il avait marqué même si le ballon était passé à un pied du poteau ? Qu'à cela ne tienne ! Chaque fois, Ibrahim lui concédait la victoire. Il lui semblait inconvenant, presque déshonorable de devoir, lui, le premier-né, le « fils véritable », rivaliser avec son cousin pour obtenir la tendresse ou l'estime de ses propres parents.

Tareq, quant à lui, ne cachait pas l'admiration qu'il vouait à Ibrahim. Dans la plupart des matières, il accusait un grand retard, et c'était vers son cousin plutôt que vers ses professeurs qu'il se tournait lorsqu'il ne comprenait pas un problème de mathématiques. Ibrahim lui faisait réviser ses leçons, relire ses compositions, corriger ses fautes. Sans abuser de son ascendant, il prenait son rôle de professeur au sérieux, se montrant tour à tour enthousiaste, encourageant et impatient.

Jusqu'à l'âge de treize ans, m'a expliqué Ibrahim, leur dépendance réciproque les a maintenus étroitement liés. Et puis — il a hésité, son regard s'est voilé, il s'est remis à bégayer —, Ibrahim a obtenu une place dans une école réputée à Haïfa. Le curriculum était axé sur les sciences et lui ouvrirait la porte des meilleures universités d'Israël.

Ibrahim y est devenu pensionnaire, il ne revenait à Nazareth qu'un week-end sur deux, et c'est à partir de ce moment qu'entre Tareq et lui les malentendus ont commencé.

Il était tard. Dans la cafétéria presque déserte, un serveur circulait entre les tables, empilant les chaises, tandis qu'un autre le suivait en passant une serpillière. Ibrahim semblait fasciné par leur va-et-vient monotone, et je ne savais pas si la tristesse de son regard venait de la contemplation de ces gestes mécaniques, vides, jour après jour répétés, ou du souvenir de Tareq, qu'il n'a peut-être jamais admis avoir abandonné.

* * *

De : Sara
À : Daniel
Objet : Rétrospective
Mercredi 18 février 2009, 7 h 11

Bonjour papa,
Je suis très contente pour la rétrospective. Tu me donneras les dates, j'aimerais beaucoup venir.
Hier, je suis sortie souper avec Samira. Elle s'était encore disputée avec son père. Il est plein de contradictions. Il veut qu'elle poursuive ses études, qu'elle fasse une carrière (préférablement comme avocate) et, en même temps, il cherche à tout prix à la

marier à un garçon « de bonne famille ». Chaque fois qu'elle va manger chez ses parents, c'est la même histoire : « Untel vient d'obtenir son diplôme de dentiste, il vient d'une ancienne famille de Jérusalem, son père est propriétaire de deux hôtels. Il a très envie de te rencontrer. Nous l'avons invité pour le thé la semaine prochaine… »

Samira n'a aucune envie de se marier, surtout pas avec les candidats que lui proposent ses parents. Son père doit sentir qu'elle est en train de lui échapper et que c'est sa dernière chance de lui trouver un « mari convenable ».

J'ai essayé de la réconforter, tant bien que mal. Et je me suis dit que j'ai de la chance.

Je t'embrasse,

Sara

*   *   *

Voilà près de dix minutes que Daniel est assis à la terrasse du Djerba Palace. La serveuse se promène de table en table en traînant légèrement les pieds et ne semble pas pressée de prendre sa commande. De l'autre côté de la terrasse, Avner, attablé avec des amis, parle avec beaucoup d'animation. Ses mains dessinent de grands cercles, virevoltent comme des marionnettes, se posent sur l'épaule de son compagnon, un homme plus âgé qui pourrait être son père, puis aboutissent sur les hanches de sa fiancée. Bon public, cette dernière répond aux plaisanteries d'Avner tout en lui caressant affectueusement la nuque, et son sourire, suspendu dans l'obscurité, rappelle à Daniel le chat de Chester et les aventures d'Alice qu'il lisait à Sara les soirs d'été.

Lorsque Avner, levant la tête pour appeler la serveuse, aperçoit enfin Daniel, son visage s'assombrit. Il se tourne aussitôt vers ses invités, s'excuse, pose distraitement sa serviette sur son bol de soupe et se dirige vers Daniel d'un pas résolu. Une expression soucieuse et austère a remplacé sa bonne humeur d'il y a un instant. Sa main grande ouverte tendue devant lui comme une baïonnette, il accueille Daniel et lui demande aussitôt :

— Alors, monsieur Benzaken, vous avez des nouvelles ?

— Non, pas vraiment.

Avner s'assoit, rapproche sa chaise de celle de Daniel.

— Vous avez reparlé au sergent ?

— Oui, je lui parle presque tous les jours. Toujours aucune piste.

Avner croise les jambes, pose ses bras sur les accoudoirs de sa chaise. Son visage paraît plus détendu.

— Par contre, depuis quelques jours, j'ai rencontré plusieurs amis de Sara. Certains m'ont parlé de vous.

Avner fronce les sourcils. Daniel poursuit :

— Sara, semble-t-il, éprouvait beaucoup d'affection pour vous. Selon l'une de ses amies, vous étiez même l'homme de sa vie.

Tout en parlant, Daniel scrute le visage de son

interlocuteur, décelant sur ses traits une inquiétude montante.

— Elle a beaucoup souffert de votre séparation. Elle s'enfermait dans sa chambre, elle n'allait plus à ses cours, elle ne mangeait presque plus.

Daniel observe Avner, dont l'expression, dure, lisse, impénétrable, ressemble à celle d'un prisonnier imposant le silence à son visage.

— Elle n'a pas supporté que vous l'abandonniez — remarquez bien, je ne vous fais aucun reproche, ajoute Daniel.

Il devine les émotions bourdonnantes, la frustration, la confusion, la colère qui se pressent contre le masque rigide qui a remplacé le visage d'Avner. Imperturbable, Daniel ajoute :

— Ses amis m'ont même raconté qu'elle vous téléphonait tous les jours, parfois jusque tard dans la nuit. Vous ne répondiez pas, mais elle n'abandonnait pas pour autant. C'était devenu une sorte d'obsession… Elle ne parlait que de vous…

Daniel s'interrompt. Inutile d'aller plus loin, l'autre a compris.

— Monsieur Benzaken, à quel jeu jouez-vous ?

Avner sourit, peiné. On n'a pas eu confiance en lui, on l'a pris pour un vulgaire menteur.

— D'accord, je ne vous ai pas tout dit. Lorsque Sara et moi nous sommes séparés, je n'ai pas tout de suite cru que c'était fini. J'ai continué de l'appeler. Je tenais à la revoir, à lui parler. Je voulais nous donner une deuxième chance, vous comprenez ? Je ne sais pas ce que son amie, cette… Comment s'appelle-t-elle?… Ah oui! Samira… ce que cette Samira vous a raconté. Probablement que je n'ai pas accepté la rupture, que je harcelais Sara, que je lui téléphonais jour et nuit. C'est bien ça, n'est-ce pas?

— Oui. Et puis… Il y a aussi les lettres anonymes.

Avner fronce les sourcils, écarte les bras d'un air d'impuissance décontenancée:

— Voyons, monsieur Benzaken. Mais pour qui donc me prenez-vous?

Daniel perd pied. Subrepticement, sans qu'il s'en aperçoive, la situation s'est retournée. D'accusateur, il est devenu accusé. Il est maintenant dans le box et doit se défendre. Il a soupçonné injustement un homme innocent.

— Monsieur Benzaken, reprend Avner d'un ton généreux, presque paternel, vous ne devriez pas vous en vouloir. Je vous comprends très bien. Vous êtes sans nouvelles de Sara. Vous êtes inquiet. Et je le suis aussi, croyez-moi. Sara, ces derniers temps… Je vous l'ai dit, elle avait de drôles de fréquentations. Cet Ibrahim, sa famille… En avez-vous parlé au commissaire? C'est peut-être là qu'il faut chercher?

Avner se lève et s'apprête à rejoindre ses compagnons. Il tend la main à Daniel. Sa poigne est ferme et assurée. Mais ce sourire si vrai, si entier, si dénué de faille, n'est-ce pas le signe, justement, qu'il dissimule quelque secret?

*   *   *

Daniel a tourné le coin de la rue et s'apprête à
monter dans un taxi lorsqu'il sent une main sur son
épaule. La jeune femme ne dit pas un mot mais lui fait
signe de la suivre. Elle l'emmène dans une allée étroite.
Entre les deux immeubles, Daniel aperçoit, dans la
pénombre, les couleurs pâlies de draps séchant sur des
cordes à linge. Il remarque aussi les yeux noirs, le regard
indolent qui se pose sur son visage, la bouche dont le
rouge émerge de l'obscurité comme un fruit mûr d'une
eau glauque. Daniel croit reconnaître l'une des jeunes
femmes attablées avec Avner quelques instants plus tôt.

— Je suis au courant pour votre fille, murmure
l'inconnue d'un ton précipité. Je tenais à vous dire... Je
ne sais pas ce qu'Avner vous a raconté, mais quand j'ai
appris que Sara avait disparu, ma première réaction a
été... Vous devez savoir qu'Avner était très amoureux
de Sara. Beaucoup plus qu'il n'est prêt à l'admettre.
Maintenant il paraît, comme ça, très détaché. Et depuis
qu'il est avec Rachel, en effet, il va beaucoup mieux.
Mais les premiers temps après leur séparation, il était
inconsolable. Être rejeté d'un seul coup, sans raison
apparente... Il l'a très mal pris.

Tout en parlant, la jeune femme regarde sans cesse
autour d'elle, comme si elle avait peur d'être épiée.

— Après leur rupture, reprend-elle, Nathan, mon
fiancé, allait le voir tous les jours. Avner est son meilleur
ami, ils ont fait leur service militaire ensemble. Ce qu'il

me racontait, franchement, me faisait peur. Avner parlait de se venger, il était plein de haine. Surtout après avoir découvert que Sara était avec cet étudiant musulman. Je crois qu'il la suivait. Comme il connaissait l'horaire de ses cours, ce n'était pas très difficile. Lorsqu'il parlait de l'étudiant… Il l'appelait l'Arabe. Un soir, j'étais avec eux. Avner avait bu. Il fallait l'entendre. Il décrivait à Nathan tout ce qu'il voulait lui faire. C'était effrayant… Je ne sais pas, ce n'étaient peut-être que des menaces en l'air, mais tout de même. Et quand j'ai appris que Sara et Ibrahim avaient tous les deux disparu…

— Vous… vous en avez parlé à la police?

— Oui, bien sûr. Mais lorsque je vous ai vu parler à Avner, je me suis dit… Vous êtes le père de Sara, il faut que vous sachiez.

La jeune femme regarde nerveusement des deux côtés de l'allée, sort de son sac un stylo et griffonne son nom — Lola — et son numéro de téléphone sur un bout de papier qu'elle tend à Daniel.

— Je dois y aller, sinon il aura des soupçons. N'hésitez pas à m'appeler.

*   *   *

Jérusalem, le 19 février 2009
Hier soir, promenade avec Ibrahim dans le quartier juif.
Nous nous sommes arrêtés devant la vitrine d'une galerie.

Les tableaux, tous du même peintre, représentaient des échelles reliant un sol brumeux et sombre à un ciel tout aussi sombre et nuageux. Entre les deux, un arrière-plan de villes fantomatiques, grises et calcinées. Toutes ces toiles se ressemblaient, à la seule différence que les échelles étaient tantôt inclinées d'un côté, tantôt de l'autre. Je n'ai pu m'empêcher d'en rire, élaborant sarcastiquement sur la teneur hautement symbolique de ces représentations de la tragédie humaine, de l'impossible alternative entre une existence terrestre déchue et un paradis plus noir encore. Ibrahim s'est éloigné pour examiner le reste des tableaux et, en revenant vers moi, il a simplement dit : « Je ne sais pas, je ne trouve pas ça si mauvais que ça. » D'abord, j'ai pensé qu'il se moquait lui aussi et qu'il voulait me faire marcher, mais non, il était tout à fait sérieux. Il m'a regardée, non d'un air de reproche mais avec une pointe de déception, comme maman lorsque j'employais un gros mot et qu'elle se contentait de froncer les sourcils.

Je me rends compte qu'Ibrahim est très rarement critique des autres. Il ne dira jamais « j'ai trouvé ce film exécrable » ou « ce professeur est ennuyeux au possible ». Il cherche toujours la valeur de l'effort, aussi ténue soit-elle. En toute chose, il décerne l'infime étincelle, la parcelle de sincérité qui donne au reste l'apparence du mérite. Ce n'est pas par générosité ni parce qu'il croit au soi-disant génie de l'homme. C'est plutôt parce qu'il a si peu confiance en lui qu'il n'ose pas s'instituer lui-même en juge.

Jérusalem, le 20 février 2009
C'est la première fois depuis plusieurs semaines que je

repense à Avner. Il avait presque entièrement disparu de ma mémoire, je ne redoutais même plus qu'il me téléphone. Mais ce soir, en traversant Nahalat Shiva avec Ibrahim, j'ai soudain eu peur qu'Avner nous aperçoive. Ce n'était pas complètement absurde : Avner et moi avions quelquefois mangé chez Luigi, un restaurant du quartier. Peut-être y emmenait-il maintenant celle qui m'avait succédé, s'il y en avait une ? À tout moment, je l'imaginais sortant du restaurant ou apparaissant au coin de la rue. J'anticipais sa surprise, l'expression d'étonnement, de colère et de mépris sur son visage, puis j'imaginais son large sourire, franc et benêt, celui qu'il offrait aux clients de son restaurant ou aux amies de sa mère. J'ai pressé le pas, entraînant Ibrahim avec moi. Je lui ai expliqué que j'avais froid et que j'avais hâte de rentrer, mais je ne crois pas qu'il m'ait crue. Pourquoi suis-je si effrayée à l'idée de croiser Avner dans la rue ? Est-ce parce que je m'en veux de m'être laissé entraîner dans une relation à laquelle je croyais à peine ? Est-ce que je regrette de ne pas y avoir mis un terme plus tôt, ce qui lui aurait épargné une douleur inutile ? Ou bien est-ce le souvenir de cette cavalcade en voiture qui me hante encore ? Ses yeux de possédé, son silence, son rictus brûlant de dépit et de haine ?

*   *   *

Dans l'autobus qui les mène à Khirbet Qeiyafa, Samira s'est endormie. Ce site archéologique, dont Sara lui a parlé et que son amie Tamar a également évoqué, Daniel tient à s'y rendre. Qui sait? Peut-être y trouvera-t-il quelque indice du passage de Sara? Peut-être y a-t-elle emmené Ibrahim? Et même s'il ne trouve rien, même si l'endroit est désert, Daniel se sera tout de même un peu rapproché d'elle, puisqu'il aura connu ce lieu qu'elle a aimé.

Daniel ne peut détacher son regard du visage endormi à ses côtés. Il n'a plus à répondre à son sourire, il n'a plus à parler. Il est libre de laisser ses yeux glisser sur ces joues d'ambre, sur ce front d'habitude inquiet où vient maintenant se déposer l'épaisseur du calme.

Ce visage, qui abrite mille souvenirs venus subrepticement s'y loger, n'appartient plus à Samira. Il est l'interdit levé, le sommeil de Sara qu'il contemplait, à Montréal, lorsque, réveillé dès l'aube, il rôdait dans sa chambre avant de préparer ses pinceaux.

Distraitement, Daniel sort un crayon de sa poche et place son carnet sur ses genoux. Les traits se définissent peu à peu, semblables à ceux qu'il a tant de fois dessinés. Ils portent, comme un refuge, la sérénité des sourires qui l'enveloppaient dans l'appartement du boulevard Édouard-Montpetit et qui saturaient son regard lorsqu'il s'endormait, tard dans la nuit. De ses gestes émergent la courbe du menton, l'arc des sourcils, la paix et le tourment des yeux, comme de l'imagination fiévreuse de l'aveugle naît la forme que caressent ses doigts.

L'autobus ralentit; Samira se réveille. Du coin de l'œil, elle remarque le dessin et lève la tête vers Daniel.

Imperceptiblement, ses lèvres reproduisent le sourire du visage au crayon. Daniel intercepte sa pensée : « C'est moi que vous avez dessinée ? »

*   *   *

Jérusalem, le 22 février 2009
Ibrahim et moi passons de plus en plus de temps ensemble. Et lorsque nous ne sommes pas ensemble, je pense à lui.

Jérusalem, le 23 février 2009
« On attend toujours le signe, la révélation qui nous ouvrira finalement les yeux et nous orientera vers Dieu. Mais pour celui qui est disposé à entendre, le tournant a déjà eu lieu. Tu n'as pas besoin d'être transformée. Ton visage lui fait toujours face, même lorsque tu crois t'être détournée de lui. Il suffit de fermer les yeux et ta voix trouvera toute seule son chemin. »
Quand il est fatigué de parler, Ibrahim écrit ces petits mots sur les serviettes de papier du café dans lequel nous nous réfugions après les cours. Niché dans une ruelle de Jérusalem-Ouest, l'endroit, qui s'appelle « Oulaï » — « peut-être », en hébreu —, attire des marchands du coin, des retraités, des artistes sans le sous. Bien qu'Ibrahim et moi y allions souvent, les serveuses nous saluent à peine et nous regardent toujours d'un air suspicieux. Mais leur hostilité à peine déguisée nous laisse indifférents. Pourquoi changer nos habitudes ? L'endroit est calme et on y sert le meilleur thé à la menthe, parfumé à la fleur d'oranger.

Parfois, nous restons silencieux et nous nous contentons de déguster une glace au café en observant les passants. Mais le plus souvent, nous parlons. Il me pose beaucoup de questions sur mon enfance, sur mes parents, sur la manière dont ils se sont rencontrés. Il m'écoute sans sourire, même lorsque j'essaie d'être drôle. C'est que, pour Ibrahim, paralysé par un bégaiement qui suspend parfois sa voix pendant d'éternelles secondes, la conversation est une chose sérieuse. Les mots, qu'il doit extirper de sa bouche au prix de si grands efforts, ont pour lui un poids symbolique, presque mystique. J'ai le sentiment, lorsque la parole tarde à venir, qu'elle est en train de se forger pour la première fois en lui. Et lorsqu'elle arrive enfin, abrupte, ciselée et lourde comme une sentence, on dirait qu'elle est son œuvre, qu'elle lui appartient comme sa création et porte le sceau de sa conscience.

Jérusalem, le 24 février 2009
Parfois, il faut faire confiance à nos souvenirs, même s'ils nous trompent — et parce qu'ils nous trompent. En altérant la réalité, en nous entraînant sur des chemins de traverse, ils nous parlent de nous-mêmes d'une voix nouvelle. Ils nous font imaginer ce qui n'existait pas et, du même coup, nous font entrevoir ce qui n'existe pas encore. Ils récrivent notre histoire et se font ainsi les précurseurs de notre avenir. C'est justement parce qu'ils détournent la réalité, parce qu'ils la modèlent sur nos désirs insoupçonnés que nos souvenirs ont le pouvoir de nous révéler notre destinée intime.

Je me souviens — ou plutôt, je crois me souvenir —

d'une phrase prononcée par maman, peu avant sa mort. « Ne t'arrête pas de prier. Même si tu n'en sens plus le besoin, même si Dieu te semble infiniment loin, même si ton cœur est vide. » Maman savait qu'elle allait mourir et elle anticipait mon sentiment d'abandon et de trahison. Elle pressentait que ma réaction serait de me détourner de Dieu. Du moins, c'est ce que je croyais. Mais en repensant aux derniers jours de maman à l'hôpital, aux conversations que nous avons eues, il m'apparaît maintenant peu plausible qu'elle ait pu laisser échapper une parole évoquant si directement sa disparition. Lorsque papa et moi allions lui rendre visite, il n'était question entre nous que de mes études, de ses lectures (lorsque les traitements ne l'affaiblissaient pas trop, maman relisait les biographies de Schubert ou de Beethoven), des travaux de rénovation dans l'appartement. Nous parlions comme si elle allait revenir. Maman savait probablement que j'avais compris mais ne voulait pas que cette évidence obscurcisse nos derniers moments ensemble.

Cette exhortation à ne pas abandonner la prière, elle devait donc remonter à une époque antérieure à sa maladie. Peut-être était-ce à l'occasion d'un de ces voyages que nous faisions ensemble à Paris pour célébrer Aïd-el-Fitr chez sa sœur ? Elle m'aurait expliqué que la prière a un sens en elle-même, que ce sont nos gestes qui comptent avant tout, pas nos pensées. Si le souvenir de cette conversation s'est déplacé dans ma mémoire pour venir s'associer aux dernières heures passées avec maman, c'est peut-être parce que je n'arrive pas à tolérer que sa mort soit entièrement dénuée de sens. Il faut à tout prix qu'un message y ait été *attaché, lui conférant une signification qui nous dépasse et qui l'extirpe du néant. Peut-être aussi ce transfert trahit-il un rejet mal assumé ? Sans le savoir, je me sentirais coupable d'avoir si brutalement tourné le dos à la prière, et une voix en moi aurait, par ruse, chamboulé mes souvenirs pour me rappeler à l'ordre. Malgré tous mes efforts, bien que j'aie cru m'être purgée du besoin de Dieu, je ne suis pas libre ; et cette injonction, ma mémoire me la restitue en la faisant passer pour la parole d'adieu de maman.*

*　　*　　*

Le site de Khirbet Qeiyafa est à une demi-heure de marche du village où les a déposés le bus. Il est dix-sept heures. Le soleil plombe encore.

Devant eux, à l'est, s'étend la vallée d'Elah. On distingue, en contrebas, quelques oliviers aux branches tordues, des arbustes poussiéreux et, au loin, un village dont la fumée des maisons s'unit lentement aux nuages.

Le site est désert. Des piquets de bois plantés à deux mètres d'intervalle marquent les limites de l'ancien village. Des pierres taillées, soigneusement alignées, révèlent l'existence d'habitations dont Daniel tente d'imaginer les murs. Recouvertes de bâches, deux longues tables attendent qu'une prochaine expédition apporte son lot d'objets à trier. Sous l'une des tables, quelques outils oubliés ou abandonnés : une pioche, un manche de couteau, une brosse.

Deux fois, Daniel fait le tour de l'enclos, soulève les bâches, regarde sous les tables. Il s'éloigne et finit par s'asseoir sur un rocher qui surplombe la vallée. Samira le rejoint. Le regard fixé sur les volutes de fumée qui s'évanouissent et renaissent au loin, Daniel rompt le silence :

— Je ne crois pas que Sara soit revenue ici.

— Non. Ils ont dû chercher refuge ailleurs.

Daniel n'a plus envie de réfléchir, d'évaluer, de spéculer : faut-il soupçonner Tareq, dont la mère a réagi si étrangement aux questions de Samira ? Ou bien Avner qui, Daniel en est certain, ne lui a pas dit toute la vérité ? Daniel a soupesé ces questions tant de fois avec Samira, il a si souvent fait part de ces hypothèses au sergent Ben-Ami, à quoi peuvent bien mener tous ces efforts ?

Samira évoque une de ses dernières conversations avec Sara. Celle-ci lui avait alors expliqué que, depuis la mort de sa mère, elle avait été incapable de prier. C'est une invitation que Samira lance à Daniel, une invitation, un peu maladroite, peut-être, à se confier, à parler de sa fille.

— C'est de sa mère que lui venait ce besoin, cette confiance, explique Daniel. Pour Leila, je l'ai compris surtout vers la fin de sa vie, la prière n'était pas seulement une manière de ponctuer la journée. Ces pauses, cinq fois par jour, constituaient plus qu'une obligation ; elles se trouvaient en continuité avec sa vie intérieure, elles étaient un prolongement de la conversation qu'elle avait avec elle-même. C'est cette intimité, je crois, qu'elle a communiquée à Sara.

— Et le fait qu'elle ait été musulmane, que vous soyez juif, ça ne…

— Non, ça ne nous a jamais éloignés. Nos familles, si. D'ailleurs, nous ne nous sommes jamais mariés. Si j'avais été croyant, nous aurions peut-être eu des conflits. Mais, pour moi, vous savez, Dieu… C'est comme une rumeur lointaine qui s'approche, qui n'en finit pas de s'approcher mais qui ne parvient jamais jusqu'à moi. Lorsque Sara était petite, elle priait souvent avec sa mère le matin. J'étais ému de les voir ensemble. Je sentais que quelque chose se passait, quelque chose d'important, mais j'étais incapable de le saisir ; comme un sourd qui, au concert, contemple les visages des spectateurs et se rend bien compte qu'un phénomène retient leur attention, même s'il en est exclu.

Samira suit des yeux la route sinueuse qui mène au village. Çà et là, des chemins de traverse l'interrompent, menant à un passage escarpé plus bas dans la vallée.

— C'est drôle, tous ces sentiers qui traversent la route. Je me demande à quoi ils servent, dit Samira d'une voix rêveuse.

— Ça fait penser à des lignes de désir, dit Daniel, les yeux fixés sur l'horizon.

— Des quoi ?

— Des lignes de désir. On en voit parfois dans les parcs. Ce sont des chemins tracés par les pas de promeneurs qui s'écartent des voies balisées et coupent à travers champ. On dit que ces sentiers sont le résultat d'une mauvaise planification urbaine. Mais je me demande s'ils ne sont pas tout simplement l'expression d'un anticonformisme, d'un désir de liberté qui s'insurge contre l'obsession géométrique des ingénieurs et des architectes.

Daniel n'ose pas se tourner vers Samira. Il l'imagine en train de sourire, amusée par son explication professorale. Leurs regards convergent vers le même point, au bas de la vallée, ils se touchent presque, se dit Daniel, et cette intimité intangible le réconforte.

— Quand Sara était petite, je l'emmenais jouer le dimanche au parc du Mont-Royal. Sur le flanc ouest de la montagne, on trouve plusieurs de ces passages improvisés, certains à peine visibles, d'autres fraîchement tracés. Sara était très intriguée et s'était mis dans la tête de créer son propre chemin. Alors, chaque dimanche matin, pendant tout un été, elle dévalait à vélo la pente qui menait au cimetière en espérant que d'autres la suivraient sur ce nouveau sentier.

— Est-ce qu'elle a réussi?

— Non, bien sûr. Les lignes de désir ont, par définition, un caractère capricieux. Elles n'obéissent pas à la volonté d'un individu mais à une sorte de sagesse collective. Un peu comme si, même au cœur de la ville, notre instinct nomade ne s'assagissait pas et nous poussait à défricher, partout où nous allons, de nouveaux sillons.

— Je n'avais jamais entendu parler de ces lignes de désir. Je ne crois pas qu'on en trouve beaucoup ici.

— Peut-être que l'insécurité rend les habitants de ce pays plus prudents, plus respectueux des règles, dit Daniel d'un ton hésitant.

— Oui… Ou bien peut-être que cette terre a déjà été traversée par tant de chemins qu'il n'y a plus de place pour en inventer de nouveaux.

Le jour tombe. Les oliviers qui, il y a quelques minutes encore, scintillaient au soleil, sont redevenus de pauvres silhouettes, sorcières courbées et crochues accueillant la fin de la lumière. Les criquets ont pris le relais des cigales et emplissent la nuit de leurs vagues plaintives. Samira et Daniel doivent se dépêcher de reprendre la route. Sur le chemin du retour, ils demeurent silencieux. Mais Samira, émue, inquiète, se sent soudain proche de cet homme qui n'est, somme toute, que le père d'une amie. Elle ne veut rien, elle n'attend rien de lui. Mais il lui semble invraisemblable qu'un jour, plus tard, une fois Sara retrouvée, il puisse disparaître de sa vie. Et lorsqu'elle repense à ses paroles de tout à l'heure, douloureuses, lucides et sereines, il lui semble que c'est aussi d'elle, que c'est aussi pour elle qu'il parlait.

*   *   *

Jérusalem, le 25 février 2009

Dimanche dernier, nous avons pris le bus, tôt le matin, pour nous rendre à Netanya. Nous sommes arrivés à la plage avec le lever du soleil.

Malgré le vent, nous avons remonté nos pantalons et nous avons marché sur le sable humide, évitant tantôt les morceaux de coquillages aux rebords tranchants, tantôt les vagues qui dessinaient des bracelets d'écume autour de nos chevilles.

Nous avons parlé — de notre enfance, de Tareq, de nos lectures, de nos projets. Mais surtout, je me rappelle le silence. Nous marchions côte à côte, la brise s'engouffrant dans nos cheveux, et ce qui nous rapprochait, ce n'étaient pas les mots mais la confiance qui vient lorsqu'on s'est livré à l'autre et que nos secrets, librement consentis, ne valent même plus la peine d'être descellés.

Parfois, son bras effleurait le mien. Il m'aurait paru naturel, alors, qu'il me prenne la main. Qui sait? Dans mon souvenir, lorsque tous les détails de cette journée se seront éteints, il ne me restera peut-être plus que l'image transformée d'un couple et d'une longue étreinte.

Jérusalem, le 26 février 2009
Ses yeux ne dégagent aucune expression. Ce bleu glacé, synthétique, impénétrable… Les chats aussi ont ce regard plein de silence, placide et hiératique. Des yeux qui ne parlent pas peuvent se prêter à toutes les spéculations, ils peuvent se mouler à toutes les craintes, tous les soupçons cruels. Heureusement qu'il y a son sourire. C'est l'impuissance qui humanise son visage et, par association, apporte à son regard une sollicitude qui lui semble étrangère.

Jérusalem, le 26 février 2009, 23 h 30
Représentation de la pièce Brand, d'Ibsen, ce soir, à Jérusalem. Une phrase, surtout, m'a frappée: « La victoire des victoires est la perte de tout… On ne possède éternelle-

ment que ce qu'on a perdu. » Peut-être cette vérité s'applique-t-elle surtout à l'amour : il ne survit jamais aussi bien que lorsqu'il n'est pas (entièrement) vécu.

Jérusalem, le 27 février 2009
J'ai eu papa au téléphone avant-hier. Les questions d'usage : Comment avance mon mémoire ? Quand dois-je retourner à Khirbet Qeiyafa ? Est-ce que je me nourris bien ? J'aurais voulu lui parler d'Ibrahim, mais je ne savais pas par où commencer. Notre rencontre ? Nos conversations ? David Grossman ? Au téléphone, c'est difficile. On ne peut pas simplement dire : « J'ai rencontré quelqu'un. Il s'appelle Ibrahim. Je suis bien avec lui. » Il faut tout de suite enchaîner : « On ne sort pas encore ensemble, je ne veux pas précipiter les choses, c'est compliqué, il m'a beaucoup parlé de sa vie, mais j'ai quand même l'impression de ne rien savoir de lui. » Et puis, papa, c'est sûr, exigerait des détails : « Quel âge a-t-il ? Où habite-t-il ? Qu'est-ce qu'il étudie ? » Je ne lui en veux pas, bien sûr. Papa a toujours été inquiet, c'est sa nature. Et maintenant qu'il est seul, c'est pire.

Après la mort de maman, assurer ma protection est devenu son grand projet, son devoir, le pacte intime qui l'unit encore à elle. Lorsque j'étais invitée à un party, il ne me laissait pas rentrer seule, il insistait toujours pour venir me chercher. Il connaissait l'horaire de mes cours par cœur, et si, un soir, par malheur, il m'arrivait d'être en retard à la maison, il se faisait tellement de mauvais sang qu'il en perdait l'appétit. En nous quittant, maman a laissé derrière elle un monde fragile, plein de dangers et de menaces. Notre crainte d'être séparés nous a tous les deux insensi-

*blement rapprochés de la mort. Chaque petit départ —
que je prenne le bus pour me rendre à l'école ou que je
passe un week-end à la campagne avec des amis — deve-
nait pour papa un adieu qui s'ignore, l'ombre d'une séparation qui deviendrait peut-être l'ultime.*

*   *   *

De : Daniel
À : Sara
Objet : Visages
Samedi 28 février 2009, 19 h 14

Ma chérie,
J'espère que tu vas bien.
Ces derniers temps, je me suis remis à peindre des
visages. Tous serrés les uns contre les autres, une
trentaine par toile. Chacun d'entre eux est différent, et
pourtant, ils finissent tous par se ressembler. Ça tient à
leur regard, je crois. Je ne m'en suis pas tout de suite
rendu compte, mais ce regard, un peu perdu,
douloureux, compatissant, c'est celui qu'avait maman
lorsque nous la quittions après lui avoir rendu visite à
l'hôpital. C'est étrange… Tu me demanderais de
peindre, de mémoire, le portrait de Leila, j'en serais
incapable. Mais je peins des dizaines de visages
anodins, et tous ont ses yeux.
Je t'embrasse,
Papa

*   *   *

Jérusalem, le 1ᵉʳ mars 2009

J'ai voulu voir Ramallah. Toutes ces images, l'Intifada, la violence, les enfants — je voulais connaître ces lieux.

Au poste de contrôle, on nous a fait sortir du taxi, Ibrahim et moi. L'officier, un jeune homme de grande taille, m'a longtemps dévisagée. Son regard allait et venait, tantôt fixé sur mes yeux, ma bouche, mon front, tantôt sur les pages de mon passeport, qu'il effeuillait une à une de son pouce.

« Vous êtes ensemble ? » Sans daigner le regarder, il a désigné Ibrahim d'un signe de la tête. « Mariés ? Fiancés ? » Il m'avait tout de suite placée dans la catégorie « Juive qui couche avec un Arabe ». Les questions s'enchaînaient, dénuées de lien apparent. Il ne semblait même pas intéressé par mes réponses. « Où habites-tu ? », « Depuis combien de temps es-tu en Israël ? », « Que vas-tu faire à Ramallah ? », « As-tu de la famille à Jérusalem ? » Il cherchait la faille. Puis, il a rouvert mon passeport à la première page : Sara Benzaken-Hachem. Il a froncé les sourcils. « Hachem, c'est quoi, comme nom ? » J'ai fait semblant de ne pas comprendre : « C'est le nom de ma mère. » Il a levé la tête et m'a regardée sévèrement. Puis, comme un professeur qui s'efforce d'être patient avec un élève obtus, il a répété sa question : « C'est quoi, comme nom ? Chrétien ? Musulman ? » J'ai hésité. J'aurais pu dire « chrétien » et il nous aurait tout de suite laissés passer. Mais j'étais curieuse de voir sa réaction.

— C'est musulman.

— Ta mère est musulmane ?

— Oui... Était. Elle est morte.

— Et ton père ?

— Mon père, il est vivant.

— Ne fais pas l'idiote. Ton père, il est quoi ? Juif, musulman, chrétien ?

— Juif.

— Et toi, tu es quoi ?

J'ai eu envie de dire « bouddhiste », mais je me suis retenue. Je le sentais bouillonner, inutile d'aller trop loin. Quant à mes réponses habituelles, « moi, je suis les deux » ou bien « je ne suis ni l'une ni l'autre », j'en avais assez. C'était trop facile. Il ne méritait pas une réponse facile. Alors, j'ai levé les yeux vers lui et, de mon air le plus assuré, j'ai dit : « Pourquoi ? C'est important ? »

Il a poussé un soupir exaspéré, a tourné la tête vers son collègue et m'a tendu mon passeport en me tournant le dos.

Dans le taxi, Ibrahim m'a regardée du coin de l'œil. Il souriait.

*   *   *

Il est seize heures. Voilà plus d'une heure que Samira attend. Assise dans un café situé à trente mètres de la maison des Awad, elle surveille la porte d'entrée. Lorsque Tareq sortira, elle le suivra. Elle n'a pas de plan précis. Pas de stratagème, pas de piège soigneusement échafaudé. Tout ce qu'elle veut, c'est en apprendre plus long sur Tareq. Si les circonstances s'y prêtent, elle l'abordera peut-être, elle tentera de lui parler.

Un jeune homme sort enfin de la maison. Grand, élancé, les cheveux coupés ras : il s'agit bien du garçon que Samira a aperçu sur les photos de famille de Mme Awad. Elle se lève et quitte le café. L'homme tourne quelques coins de rue, puis, arrivé à l'arrêt d'autobus, s'assoit sur un banc. Trois autres personnes attendent — une femme avec son enfant et un vieil homme au visage parcheminé. Samira s'approche du groupe. Tareq, le nez plongé dans un livre, les yeux mi-clos, semble réciter une prière. L'autobus arrive au bout de quinze minutes. Samira monte la dernière. La seule banquette libre se trouve derrière Tareq. En passant dans l'allée, elle frôle de sa manche l'épaule du jeune homme, qui se rétracte comme une pieuvre piquée par un harpon.

Lorsque Tareq se lève pour descendre, rue El-Bishara, Samira le suit d'un peu trop près et, après quelques pas, il jette un bref coup d'œil derrière lui. Samira tourne vivement la tête dans la direction opposée, en espérant que Tareq n'aura pas vu son visage. Ce dernier marche en direction du cimetière musulman. Samira lui laisse le temps de s'éloigner un peu, et ce n'est que lorsqu'il disparaît dans une petite rue, après l'église Saint-Joseph, qu'elle reprend sa filature. Elle traverse la rue, accélère le pas, bouscule une passante — pourvu qu'il ne soit pas entré dans une maison ou une boutique —, mais dès qu'elle tourne le coin, elle s'arrête net : debout, les mains dans les poches, un sourire ironique aux lèvres, Tareq l'attend.

— Pourquoi tu me suis ?

Samira le regarde, paralysée. Un frisson lui parcourt le dos, comme une cascade d'épines glacées. Tareq, impassible, le regard froid, méprisant, répète sa question :

— Pourquoi est-ce que tu me suis ? Qu'est-ce que tu me veux ?

— Je… Je suis une amie de Sara. Ibrahim et elle… Voilà plusieurs semaines que nous sommes sans nouvelles. Vous êtes le cousin d'Ibrahim, n'est-ce pas ? J'ai pensé qu'il vous avait peut-être confié…

Tareq l'interrompt d'un geste de la main. Il parle d'une voix sereine, articulant soigneusement chaque syllabe, comme s'il s'adressait à une vieille dame un peu dure d'oreille.

— Je ne sais rien d'Ibrahim. Nous ne nous parlons plus depuis des années. Tu devrais plutôt t'informer auprès de ceux qui le connaissent.

Le visage pâle, le front déjà ridé, les joues creuses de Tareq laissent imaginer le vieil homme qu'il deviendra. Son sourire forcé, mièvre et froid, porte le poids de la fin, de l'échec prédestiné.

— Il n'éprouve pour moi que du mépris, continue Tareq. Pourquoi m'aurait-il parlé de ses projets ? Autant que je sache, ils se sont peut-être mariés en douce et ont pris la poudre d'escampette pour célébrer leur lune de miel.

Samira a peur. Peur de ce dont elle le croit capable. Peur aussi de sa rancœur, de sa douleur, de l'arc clos de son devenir et de son regard, vide de désir.

— Je sais que vous ne vous entendez pas…, reprend-elle d'une voix enrouée.

Mais elle est incapable de poursuivre. Pour lui tirer les vers du nez, il faudrait lui donner confiance, l'entraîner sur un terrain neutre. Elle s'y est mal prise, elle s'en rend compte maintenant. Elle n'aurait pas dû le suivre, lui donner l'impression qu'elle le soupçonne.

— Ce n'est pas toi qui as rendu visite à ma mère, il y a quelques jours ?

— Si, c'est moi, répond Samira avec moins d'assurance qu'elle ne l'aurait souhaité.

— Je m'en doutais. Elle m'a parlé de toi et de ta petite enquête. Tu t'es renseignée sur moi, n'est-ce pas ? Et, bien sûr, tu as gobé tous les bruits qui courent à mon sujet : Tareq, il n'a pas toute sa tête, c'est un fanatique, un extrémiste, un fou furieux. Il est obsédé par Ibrahim, il est rongé par la jalousie, il a la haine en lui. Alors, bien sûr, c'est lui le coupable.

— Je ne vous accuse pas, proteste Samira. Vous ne comprenez pas… Tout ce que je veux, c'est savoir ce qui a pu arriver…

De nouveau, Tareq l'interrompt :

— Mais oui, c'est ça. La vérité, c'est que tu es comme les autres. Tu raisonnes comme eux. Tu penses comme eux. Quelqu'un disparaît, c'est la faute à l'Arabe. Inutile d'aller chercher plus loin.

Samira détourne la tête, incapable de soutenir son

regard. Et s'il avait raison ? Tareq, sa rivalité avec Ibrahim, sa jalousie, son hostilité envers les Juifs — tout ça n'en fait-il pas un coupable tout désigné ? Et elle, Samira, n'est-elle pas imbue des mêmes préjugés que tous les autres ?

Elle finit par relever la tête, honteuse. Elle s'attend à retrouver sur les lèvres de Tareq le sourire ironique de tout à l'heure, mais il s'est effacé, faisant place à une expression de satisfaction lasse et blasée. Ses yeux, par contre, n'ont rien perdu de leur violence. Ils brillent de colère, de puissance, de mépris victorieux, comme le regard de Moïse contemplant la terre qui s'ouvre sous les pieds du traître Korah.

Samira est trop déroutée pour comprendre si cette haine est celle de l'homme habitué à être accusé injustement ou celle du coupable qui sait qu'il n'a plus rien à perdre.

*   *   *

Jérusalem, le 3 mars 2009
Avner m'a appelée aujourd'hui. J'ai accepté de prendre un café avec lui. Je n'ai rien dit à Ibrahim.

Amène, souriant, volubile, il m'a paru moins nerveux qu'auparavant. Je sentais son haleine sur mon visage, un relent de cigarette et d'oignon. Je me suis rappelé le soir où il m'a embrassée pour la première fois, quand je pensais encore que quelque chose viendrait remplir ce vide, quand

j'espérais, absurdement, que ma curiosité se transformerait en tendresse.

Avner a entrepris de me raconter, dans le détail, sa
vie depuis notre séparation — comme s'il répondait, un
peu malgré lui, à une enfilade de questions que je lui
aurais posées (Comment va ton travail ? Et ton père ? Que
fais-tu le soir ? Quels films as-tu vus récemment ?). Il souriait beaucoup en me décrivant ses vacances — il revenait
d'une semaine à Prague, disait-il, laissant planer le doute
sur la ou les personnes qui l'avaient accompagné.

Je l'ai écouté, sans curiosité, sans impatience. Je me
disais : « Voilà, il veut me montrer qu'il ne m'en veut pas,
qu'il n'y a en lui ni regret ni rancune. » Peut-être aussi
tenait-il à ce que je garde de lui une image favorable, celle
d'un homme qui avait été brièvement attiré par moi, qui
s'était montré généreux, qui avait, certes, espéré beaucoup
de cette rencontre, mais qui m'avait bien vite oubliée et
dont l'existence, pleine de promesses, se poursuivait maintenant avec une autre.

Puis, il a commencé à me questionner. D'abord, des
questions inoffensives, rien de très original. Mais très vite,
son débit s'est accéléré, sa voix est devenue plus stridente :
« Alors, tu es toujours seule ? » J'ai acquiescé d'un simple
signe de tête. Il ne m'a pas crue. « Allez, tu peux me le dire,
tu sais. Je ne t'en voudrai pas. » Je n'avais pas envie de lui
parler d'Ibrahim. En lui cachant son existence, je n'avais
pas l'impression de lui mentir puisque, au fond, je ne lui
dois rien. Ma vie ne le concerne plus. Rien ne m'oblige à
m'ouvrir à lui.

Après cette première salve, il a paru battre en retraite.

Il a pris un ton plus conciliant : « Tu sais, Sara, je pense encore à toi… Nous… Qu'est-ce qui s'est passé ? Je pensais que toi et moi… Je voulais t'emmener voir Ein Gedi, la maison de mes grands-parents. Je croyais qu'il y avait vraiment quelque chose entre nous, non ? Peut-être… peut-être que les choses se sont passées trop vite. Si tu veux… »

C'était lamentable. Je ne savais pas comment m'en sortir. J'étais sur le point de lui répondre : « Ce n'est pas toi, ça n'a rien à voir avec toi. Je ne suis pas prête, c'est tout… » Mais je me suis ravisée. Son expression s'était à nouveau transformée. Une ombre douloureuse balayait son visage, son regard était redevenu froid, fébrile, impatient. « De toute façon, tu n'as jamais vraiment voulu… J'ai perdu mon temps avec toi. Tu me fais pitié, au fond. Tu resteras seule toute ta vie, tu verras. Des filles comme toi… »

Il m'a fait de la peine, mais il m'a fait peur, aussi. Il y avait dans sa voix une menace lancinante, une colère mal retenue. Il a offert de me raccompagner, mais j'ai refusé. Je ne lui faisais pas confiance. Je lui ai quand même tendu la main, un peu gênée, et j'ai été soulagée qu'il ignore mon geste. Il s'est contenté de sourire, sa bouche crispée dans une expression de mépris.

Jérusalem, le 6 mars 2009
Souper chez les parents d'Ibrahim, à Nazareth.

Comme tous les vendredis, avant de partir, Ibrahim est passé chez moi pour me dire au revoir. Au moment de m'embrasser, il a hésité. Il m'a regardée longtemps, sans sourire, puis, brusquement, il m'a demandé de venir avec lui.

Il a dû sentir mon inquiétude. Pourtant, j'ai tout fait pour ne pas la laisser paraître. Je n'ai rien mentionné de ma rencontre avec Avner, de ses paroles menaçantes, de son regard plein de haine. Ça passera. J'oublierai. S'il rappelle, s'il veut me revoir pour s'excuser, je l'ignorerai. Il finira bien par me laisser tranquille. Mais Ibrahim n'est pas dupe. Il a compris que ça n'allait pas.

Dans le bus qui nous emmenait à Nazareth, nous n'avons presque pas parlé. Je contemplais les villages blancs, perchés au sommet de collines sableuses, les troupeaux de chèvres dont les bêlements semblaient répondre au grondement plaintif de l'autobus peinant sur la route escarpée, les oliviers poussiéreux dont les branches torses semblaient souffrir d'un mal invisible. Ce paysage aurait dû m'emporter loin de mes pensées. Mais la voix d'Avner, à la fois mielleuse et menaçante, continuait de me hanter. « Tu resteras seule… Des filles comme toi… » Ce n'était pas cette sentence prononcée contre moi qui m'effrayait. C'était plutôt sa bouche tordue par la rage, ses mains qui écrasaient puis déchiquetaient le paquet de cigarettes posé sur la table et, surtout, son regard humilié, vibrant de haine.

Une fois chez Ibrahim, je me suis un peu détendue. J'ai été touchée par l'accueil de ses parents. Nous avons parlé du Liban, des plages de Beyrouth, des plats qui ont marqué notre enfance — sambousik jebne, malfouf, fattoush, mouhalabieh. J'étais curieuse de connaître leur histoire, et le père d'Ibrahim avait commencé à me décrire la maison de ses parents à Deir el-Asad, un village de Galilée, lorsque Tareq, le cousin d'Ibrahim, est apparu dans le

193

cadre de la porte. Se trouvait-il là depuis un moment et avait-il épié notre conversation ? En tout cas, je ne l'avais pas entendu arriver. Il m'a dévisagée et j'étais sur le point de me lever pour lui tendre la main quand il s'est retourné brusquement et s'est dirigé, à pas lourds, vers la cuisine. La mère d'Ibrahim l'a aussitôt suivi, comme si elle craignait un éclat.

On les entendait débattre depuis la salle à manger. La voix de la mère, liquide, onctueuse, murmurante, semblait vouloir étouffer le torrent de colère que déversait sur elle Tareq. « Qui est cette fille ? Qu'est-ce qu'elle fait ici ? Encore une de ces intellectuelles délurées ? Comment ose-t-il ramener ça ici ? Il n'a pas honte ? Et toi, tu ne dis rien ? » Sa voix, tantôt stridente, tantôt grave, comme les modulations plaintives d'une scie électrique, me rappelait celle du rabbin Benchetrit lorsqu'il cherchait à nous convaincre qu'Israël était notre terre ancestrale et que nous n'avions pas le droit de céder ne serait-ce qu'un centimètre carré de notre territoire aux Arabes.

Au bout d'un moment, la mère d'Ibrahim est revenue, seule, dans la salle à manger. Elle souriait, mais ses yeux étaient empreints de peur et de honte. Elle a commencé à desservir. Quand il a vu ses mains trembler, Ibrahim s'est aussitôt levé, lui a fait reposer les assiettes sur la table, et l'a entraînée avec lui dans le salon en lui murmurant : « Ne t'en fais pas, ce n'est pas ta faute… » Puis, Ibrahim est venu me chercher ; j'ai remercié son père, qui m'a souri d'un air égaré, et nous sommes partis.

Dans l'autobus, nous n'avons pas parlé, nous n'avons pas dormi. Nous regardions les ombres et les lumières mourantes des villages défiler dans la nuit humide. Toutes mes questions, Ibrahim les connaissait. Et ses réponses, je les imaginais aisément. Nous n'avions, pour nous protéger, que le réconfort passager de ne pas être séparés.

Trois jours et trois nuits, Abraham marche. Les voix en lui se sont tues.

Lorsqu'il arrive enfin, la gorge ardente, les lèvres desséchées, il est tôt le matin. Une lueur diaphane enveloppe le désert, comme le soupir évanescent de la voix qu'il a si avidement désirée.

Les jambes lourdes, Abraham se dirige vers le puits. Appuyé contre la margelle, il remonte le seau et y enfonce sa tête. L'eau fraîche le rappelle au monde.

Derrière la tente, il détache son âne et lui donne à boire. Il ramasse quelques bûches et les place sur le dos de l'animal.

Ses gestes sont lents et mesurés, comme ceux d'un homme s'acquittant d'une tâche qu'il a longtemps méditée.

Puis Abraham s'assoit sur le sable et, tenant entre ses genoux une pierre tranchante, il affûte son couteau.

Traversant les nuages du matin, les premiers rayons du soleil viennent mourir sur son visage.

Abraham s'approche de la tente où dort Sarah. Isaac, son fils, son fils unique, celui qu'il aime et dont l'amour l'arrime au monde, est allongé non loin d'elle. Il s'agenouille et le prend dans ses bras.

Dehors, Isaac ouvre les yeux, mais Abraham ne le regarde pas.

— Où allons-nous ? demande Isaac à son père.

— Nous nous rendons où Dieu se montrera. Vois : j'ai tout préparé pour le sacrifice.

— Mais, père, je ne vois que le couteau et le bois pour le feu — où est l'agneau ? interroge encore Isaac.

Les yeux tournés vers l'horizon, Abraham répond dans un murmure, comme s'il se parlait à lui-même :

— Dieu pourvoira au sacrifice.

D'une main, Abraham prend la bride de l'âne. De l'autre, il entraîne son fils.

Trois jours et trois nuits, ils cheminent, unis.

Abraham ne regarde pas Isaac. Il ne lui parle pas non plus. Les yeux fixés au loin, les mâchoires serrées, il écoute.

Il écoute leurs pas bruire dans le sable, la rage du vent qui s'engouffre dans sa tunique, le souffle haletant d'Isaac.

Le quatrième jour, au matin, ils arrivent au sommet du mont Moriah.

Isaac aide son père à allumer le feu. Son regard s'attache à chacun de ses gestes. Il scrute son visage dont les yeux auréolés de rides semblent à peine entrouverts. Abraham n'a pas besoin de parler, Isaac a compris.

Il ne demande pas pourquoi il doit mourir. Il accomplira la volonté d'Abraham.

5

Daniel se réveille en sursaut. Comme tous les matins, l'angoisse, béante, l'accueille avant même qu'il ouvre les yeux. Mais cette fois, le rêve a laissé des traces. Un poids. Sur sa poitrine, un corps. De la vie qui bruit, qui respire. Au début, il n'est pas sûr. S'agit-il d'un petit animal? Un chat, peut-être? Mais bientôt, il reconnaît cette présence. C'est l'odeur qui le guide. Sucrée, terreuse et fraîche, une pointe de vanille et de cannelle. Le souvenir renaît : Sara bébé. Torturée par les coliques, elle se réveillait toutes les nuits vers deux heures. Ivre de fatigue, il la délivrait de sa couchette, s'allongeait par terre, sur le dos, et la posait sur son ventre. Sara finissait par se rendormir, et lui aussi, apaisé par sa respiration.

Mais dans son rêve, Sara, ce petit être, cette présence sur sa poitrine, ne dort pas. Il la serre de toutes ses forces et elle se débat. Il referme les bras sur elle, sourd à ses cris. Elle ne comprend pas. Il ne peut faire autrement. On veut l'enlever, l'emporter loin de lui. Il doit résister. Il l'étouffe, il l'étrangle, il le sait, mais comment peut-il faire autrement? Lorsque Daniel se réveille, les pleurs continuent; leur écho lancinant et le corps frêle, menu, immense, pèsent encore sur lui, épousant sa respiration haletante comme un bouchon malmené par les vagues. Dans cette conscience à contre-jour, si près de s'abîmer à nouveau dans la nuit, une question affleure : ce poids, cette vie qu'il serrait si fort il y a un instant, si elle demeure encore, si elle ne s'est pas entièrement évanouie, n'est-ce pas justement parce qu'elle n'est rien, parce qu'elle est faite de l'étoffe indestructible des songes ?

*   *   *

Jérusalem, le 8 mars 2009
« Elle dit : "Pourquoi aimons-nous et allons-nous sur des routes désertes ?" Je dis : "Pour vaincre l'excès de mort par moins de mort et échapper au gouffre." »
Mahmoud Darwich

Jérusalem, le 9 mars 2009
Le visage d'Ibrahim. La première fois que je l'ai vu, à la cafétéria de l'université, je me suis souvenue de l'avoir aperçu, assis au premier rang, pendant le cours du professeur Barnathan. Mais il y avait autre chose. Le sentiment de l'avoir déjà rencontré quelque part est demeuré. J'ai cherché longtemps. Ne ressemble-t-il pas au fils du rabbin de la synagogue libérale à laquelle papa m'emmenait les jours de fête ? Non ; ils ont peut-être le même regard embrumé, mais ce n'est pas ça. Son sourire, alors ? Malgré son éclat, il laisse transparaître une tristesse insuffisam-

ment oubliée qui me rappelle un sourire d'enfance. Mais je suis incapable de mettre le doigt dessus. Tout ce que je peux dire, c'est qu'il s'agit d'un sourire que j'ai désiré. Se peut-il encore que ce soient ses sourcils, très arqués, figés dans un « hélas » douloureux? J'ai beau explorer les moindres recoins de ma mémoire, je ne trouve pas. Peut-être est-ce justement ce souvenir sans objet qui me fait l'aimer? Il y a ce manque que je cherche à combler; je me laisse persuader qu'à l'origine ce manque était une lumière, alors que, en vérité, il ne s'agit que d'un écran sur lequel j'ai laissé se réfugier mes premiers désirs, ces réponses fictives à mon esseulement.

Il y a les visages qu'on reconnaît et qu'on aime parce qu'on les reconnaît (ce sont nos proches, ceux qui ont créé en nous l'habitude de la tendresse et de la confiance). Il y a les visages qu'on ne reconnaît pas et qui nous demeurent étrangers (la majeure partie de l'humanité). Et puis il y a ceux qu'on reconnaît, mais qu'on n'a jamais rencontrés. Le visage est étranger, impossible d'en trouver quelque trace dans notre mémoire; et pourtant, nous sentons qu'il appartient à notre vie. Il est infiniment autre et, en même temps, il nous semble que nous partageons la même naissance. C'est peut-être cette interpolation, cette juxtaposition incongrue, ce « c'est lui! » superposé à un « mais je ne le connais pas » qui nous fait croire que l'amour est un destin. Certains diraient qu'il ne s'agit au fond que d'une erreur de jugement, une confusion de nos facultés, semblable à celle qui nous fait appeler un son « rouge » ou qui incite l'homme ayant souffert d'une commotion cérébrale à déclarer que sa femme est un chapeau. Peut-être qu'il en *est ainsi d'Ibrahim. Je l'ai reconnu, je persiste à croire que son visage m'est familier, mais c'est mon cerveau qui me joue des tours.*

Jérusalem, le 11 mars 2009
Ibrahim. Ton nom, je le porte en moi comme un souvenir très ancien. Peut-être que ton amour pour moi n'est rien de plus que ton propre besoin d'être aimé — de moi ou d'une autre. Mais cet amour, parce qu'il vient de cet espace sensible en toi, parce qu'il dit ta bienveillance vulnérable, ton désir naissant d'être tenu, serré, enserré par des bras étrangers, m'apparaît immense; une tendresse qui n'aura jamais de nom, que je n'aurai jamais suffisamment recon- nue, qui me renverra toujours à un premier regard.

*   *   *

De : Daniel
À : Sara
Objet : Conférence à Columbia
Mercredi 11 mars 2009, 11 h 41

Ma chérie,
J'ai donné ma conférence à Columbia, hier. Tout s'est bien déroulé. La salle était pleine. J'ai même signé quelques livres !
Le soir, John Bomgrich m'a invité à souper avec quelques collègues au Terrace in the Sky, un restaurant

de Morningside Heights, près de l'université. C'est un endroit plutôt étrange : on entre dans un immeuble semblable à tous les autres, on nous fait monter dans un vieil ascenseur bringuebalant, et puis on arrive au seizième étage et on pénètre dans une salle à manger somptueuse, entourée d'une immense baie vitrée. Partout où on tourne les yeux, on voit la ville. C'est très impressionnant.

À table, j'étais assis en face d'un étudiant de Bomgrich. Il m'a parlé de sa thèse (« La notion du beau dans l'art précolombien »), de ses voyages au Mexique et au Pérou. Il était très éloquent et très touchant aussi. En l'écoutant, je pensais à toi en me disant que, peut-être… Tu vois, je ne suis peut-être pas aussi casse-pieds que le père de Samira, mais c'est quand même le genre de choses auxquelles je ne peux m'empêcher de penser !

Je t'embrasse très fort,

Papa

*   *   *

Presque tous les soirs, Samira vient retrouver Daniel dans le bar de l'hôtel. Ils ont leurs habitudes : assis sur un grand canapé en cuir, dans une alcôve garnie de lourdes tentures, ils partagent un club sandwich, commandent deux martinis, puis une demi-carafe de vin rouge qu'ils font durer jusque tard dans la nuit. Ils font le point sur leur journée, échangent leurs hypo-thèses, répètent, inlassables, les mêmes spéculations sté-riles. Parfois, des digressions les entraînent sur la pente du souvenir. De là, ils passent aux confidences et, peu à peu, la vie de l'autre se construit devant leurs yeux, un édifice chancelant, criblé de trous et de questions, aussi imaginaire, aussi mouvant que leur propre passé. Cette incertitude, étrangement, les réconforte et, progressive-ment, les persuade qu'ils ont plus à perdre en protégeant leurs secrets qu'en laissant l'autre voir en eux.

Ce soir, Samira raconte à Daniel son rêve de la nuit dernière. Elle se promène dans les rues de Nazareth, entièrement voilée. Une simple fente lui permet de voir sans être vue. Samira n'est pas habituée à ces vêtements amples qui ralentissent sa marche et entravent ses mou-vements. Elle est surprise de découvrir que les regards des hommes, au lieu de l'effleurer avec indifférence, se posent sur elle, tentent de deviner ses formes, d'imaginer ses traits, l'expression de son visage. On l'observe, on la surveille, on l'épie. Voilée, elle est plus nue que jamais.

Elle monte dans un autobus et prend place à côté d'un homme. Il tourne la tête vers elle. Elle reconnaît Tareq. Son premier instinct est de fuir, mais une force mystérieuse la retient. « Qui es-tu ? » La voix du jeune homme est grave, son ton hostile. Samira répond : « Je suis Sara. L'amie d'Ibrahim. Ton cousin, Ibrahim. » Qu'est-ce qui lui a pris ? Pourquoi ce mensonge ? Le visage de Tareq semble se décomposer devant ses yeux. Il blêmit, ses mains tremblent, il a peine à respirer. « Ça y est, c'est lui ! Il n'y a aucun doute, c'est lui le coupable ! » se dit Samira. Mais bientôt, Tareq se ressaisit. Un sourire se glisse comme une couleuvre sur son visage. « Prouve-le. » Samira le regarde, effarée. S'il pouvait voir l'effroi sur son visage, il éclaterait sûrement d'un rire machiavélique. Tareq insiste : « Allez, prouve-le. Retire ton voile. » Samira voudrait se lever, descendre au prochain arrêt et se mettre à courir, mais elle est paralysée. Elle contemple le visage railleur de Tareq, ses yeux pétillants de cruauté, de joie victorieuse. Lorsqu'elle se réveille enfin, le dos en sueur, Samira sent encore sur elle le regard du jeune homme, ce regard qui l'enveloppe, qui glisse sur sa peau comme une eau visqueuse, comme un voile humide et sombre.

*   *   *

De : Sara
À : Daniel
Objet : Conférence à Columbia
Jeudi 12 mars 2009, 8 h 15

Merci pour ton dernier message, papa. Je suis contente que tout se soit bien déroulé à Columbia, mais je t'en prie, ne te mets pas à jouer les entremetteurs !
Je suis un peu débordée en ce moment. On s'appelle dimanche ?
Grosses bises,
Sara

*   *   *

Jérusalem, le 13 mars 2009, 21 h 30
Je regrette de m'être impatientée. Il était dix-huit heures.
Nous nous promenions dans le quartier arabe et j'allais
proposer à Ibrahim de venir souper chez moi. Mais il ne
m'en a pas laissé le temps. Les muezzins appelaient à la
prière, et Ibrahim m'a suggéré de l'accompagner à la mos-
quée. J'ai refusé.

J'ai dit non brusquement, sans réfléchir. J'ai dit non
sans penser à la réaction d'Ibrahim. J'ai dit non parce que
je ne sais plus prier, parce que je n'aime pas me trouver
auprès de ceux qui croient.

Jérusalem, le 13 mars 2009, 23 h
J'ai eu tort. Tout ça n'a rien à voir avec Ibrahim. Lui n'a
jamais connu le doute. En tout cas, pas comme moi. Pas le
doute qui vous fait tout rejeter, qui vous donne le pouvoir
d'imaginer un monde de solitude et de puissance, un
monde sans Dieu. Je lui ai parlé de maman, de sa maladie,
de sa mort.

Cette mort qui a d'abord été ma défaite, puis qui est
devenue celle de Dieu. Au début, je me disais, bien sûr, que
c'était de ma faute. Je n'avais pas prié assez fort. Il aurait
fallu croire au-delà de tout doute, de toute évidence, qu'elle
guérirait. Mais je ne m'en suis pas entièrement remise à
lui, alors, il n'a pas donné à ma mère toute sa présence. Il
aurait fallu… Je ne sais même plus quelles pensées occu-
paient mon esprit. Je revenais le soir de l'école et, comme

un automate, je faisais mes devoirs, puis je préparais à manger. Après avoir révisé une dernière fois mes leçons, je m'endormais, épuisée, vers minuit et me réveillais vers quatre ou cinq heures du matin, un immense gouffre ouvert en moi.

Je me préparais pour la prière du matin, je m'age-nouillais comme si maman avait été à mes côtés et mon murmure fébrile, inquiet, incertain, me rappelait sa voix. Je récitais les mêmes paroles, répétais les mêmes gestes, comme s'ils venaient s'insérer dans l'espace découpé par son absence.

Parfois, je lisais aussi le Kaddish, la prière juive des morts. Par esprit de provocation, parce que cette prière est réservée aux hommes. Mais aussi parce que je cherchais une consolation. Dieu qui me dirait : « Ta mère… Elle te regarde. Tu n'es pas seule. Les morts accompagnent les vivants. Ils ne les entendent pas, mais leurs gestes, leurs regards, se sont faufilés en eux et les aident à porter le poids du vide. »

Mais à quoi bon louer Dieu, exalter sa puissance, glorifier son nom alors qu'il s'était détourné de moi ? Alors que ce qui m'était le plus cher, ce sur quoi reposait ma vie et mon avenir, il n'avait pas été présent pour le défendre ? Que me restait-il à espérer d'un être qui ne pouvait rien pour moi, mais qui exigeait que je lui donne tout mon amour, toute mon adoration et toute ma soumission ? Pendant de longs mois, je m'étais réfugiée dans sa parole, je l'avais laissé voir en moi, j'avais récité tous les psaumes que je connaissais, tous les versets du Coran que maman m'avait appris. J'avais même inventé mes propres prières en français. Des prières toutes simples qui commençaient et finissaient toujours de la même manière : « Mon Dieu, je t'en supplie, guéris ma mère… » Et il aurait fallu que je continue de prier comme si rien n'avait changé, comme si mes prières avaient été exaucées ? C'était ça, être fidèle à ma mère ?

Après sa mort, je continuais de répéter aveuglément ces louanges, espérant y trouver un sens nouveau qui me parlerait d'une autre vie, d'un espoir insoupçonné. Mais tous ces mots, c'était pire que le silence. Cette enfilade de promesses creuses, ce n'était plus qu'une parodie de la ferveur qui m'avait portée pendant la maladie de maman. Et cet être immense qui m'avait si fidèlement enveloppée de tendresse et d'humanité, il n'était que la fiction que voient les autres, ceux qui ne croient pas et n'ont jamais cru : une incantation péremptoire sans plus d'emprise sur le monde que les « abracadabra » des contes de fées.

J'ai prié pour que maman guérisse. Elle est morte, et Dieu est mort avec elle.

Dieu, le Dieu qui m'accompagnait depuis que j'étais petite et dont je sentais en moi la confiance, n'aurait pas laissé mourir maman. Dieu, c'était ma mère vivante, son sourire plein de confiance, ses yeux qui tuaient la peur. Dieu, c'était l'ordre du monde, un monde où les mères bordent leurs enfants tous les soirs et les accompagnent à l'école chaque matin, un monde où l'amour protège et la prière éloigne la mort.

Le soir, en attendant son rendez-vous avec Samira, Daniel se promène dans la vieille ville. Voilà deux jours qu'il ne dort pas. Il mange à peine. L'angoisse resserre son étau.

Étourdi, hagard, enivré par la chaleur et les bruits de la rue, il marche d'un pas hésitant. Tantôt il trébuche sur les pavés inégaux d'une allée, tantôt il chancelle devant l'échoppe d'un marchand, menaçant de s'effondrer. À ses côtés, Leila. C'est elle qui le guide. Il n'a pas besoin de savoir où aller. Leila l'accompagne, et ça lui suffit.

Cette présence, c'est d'abord une voix. Épurée de mots, elle n'est qu'un pressentiment, un présage, une ombre qui bientôt refera surface, mais ne parviendra jamais au grand jour. Leila qui l'enveloppe et qui, sans visage, lui sourit, c'est aussi le vide qui se fait en lui, cette part de son être depuis longtemps exilée, encore vibrante et pourtant méconnaissable. C'est, enfin, son propre devenir, ce qui demeurera lorsque tout sera fini, une conscience diaphane, délestée de passé et de désir, une vie encore à naître et qui ne connaît pas le temps.

La nuit tombe. Le chant des muezzins s'élève, plainte victorieuse qui s'écrase contre la voix du silence. De nouveau, Daniel perd pied. Ce sont les souvenirs qui l'emportent.

Sara a six ans.

— Pourquoi tu ne pries jamais, papa ?

— Je ne sais pas prier.

— Viens, je vais t'apprendre. Tu vas voir, c'est facile.

Il regarde Sara. L'eau sur son visage, ses oreilles, ses mains, ses bras, ses pieds. Hésitant, il répète ses gestes. Debout, à ses côtés, il murmure, comme elle : « *Bismillah ir-Rahman ir-Rahim…* » Puis, Sara s'agenouille. Mais Daniel ne la suit pas.

Il l'écoute, ému par les modulations lancinantes qu'il distingue à travers sa voix haletante. Sara s'arrête, se relève, tourne la tête vers lui d'un air qui veut dire : « Alors, qu'est-ce que tu attends ? » Daniel écarte les bras, mimant l'impuissance. « Je ne peux pas. » Puis, en guise d'explication : « Quand on est juif, tu sais… on n'a pas le droit de se prosterner… » Sara l'observe un instant, interdite, puis reprend sa prière.

Plus tard, Sara le rejoint dans le salon, s'assoit près de lui, pose sa main sur son bras. « Ce n'est pas grave, tu sais. Tu n'as pas besoin de prier. Tu as la peinture. »

Daniel se ressaisit. Pourquoi s'est-il encore laissé aller ? Il suffit d'un rien pour relâcher les créatures du souvenir. Une image en entraîne une autre, on croit fuir mais, en fait, on s'enfonce, on s'empêtre, on est pris dans les rets de la mémoire. Chaque souvenir est une trahison, un peu de vie qu'il enlève à Sara. La chercher dans le passé, c'est accepter qu'il ne la retrouvera plus.

*   *   *

Jérusalem, le 14 mars 2009
Je lis en ce moment le journal d'Etty Hillesum, une Juive hollandaise morte à Auschwitz à l'âge de vingt-neuf ans. Vers la fin, elle s'adresse directement à Dieu : « Je vais t'aider, mon Dieu, à ne pas t'éteindre en moi, mais je ne puis rien garantir d'avance. Une chose cependant m'apparaît de plus en plus claire : ce n'est pas toi qui peux nous aider, mais nous qui pouvons t'aider — et ce faisant nous nous aidons nous-mêmes. C'est tout ce qu'il nous est possible de sauver en cette époque et c'est aussi la seule chose qui compte : un peu de toi en nous, mon Dieu. »

Jérusalem, le 15 mars 2009
Je parle à Ibrahim de maman. Il me regarde sans émotion. Après un long silence, il me répond simplement : « Tu sais, on n'a pas besoin de croire en Dieu pour prier. »

Et puis, comme il le fait souvent, il passe du coq à l'âne, à tel point que je me demande s'il a vraiment écouté ce que je viens de dire. Il se met à me parler de la figure d'Abraham dans la Torah et le Coran. Il ne comprend pas le récit du « sacrifice ». Dieu aurait voulu tester Abraham en exigeant qu'il tue son fils pour lui. C'est absurde. S'il ne s'agissait vraiment que de ça, Abraham ne serait qu'un fou, pas un homme de Dieu. Il doit y avoir autre chose.

Ibrahim sort de son sac à dos un dossier dans lequel se trouve une liasse de feuilles couvertes d'une fine écriture à l'encre verte. Il vient me rejoindre par terre, s'adosse contre le sofa et pose les feuilles sur ses genoux.

« Tiens, je vais te lire une histoire :

« *Longtemps, Abraham a vécu, la voix de Dieu ouvrant chaque jour un peu plus le regard de sa conscience.*

« *Après des années de plénitude, pourtant, les questions se sont frayé un chemin en lui.*

« *La présence de sa parole ne lui suffit plus. Il réclame un signe…* »

C'est l'histoire d'Abraham et de son fils Isaac. Dans son récit, Abraham est torturé par le doute. Il affronte Dieu, le conjure de lui répondre, mais il demeure emprisonné dans sa solitude. Alors, éperdu, il menace de tuer ce qu'il a de plus cher au monde, son propre fils, pour obliger Dieu à lui donner un signe incontestable de son existence. C'est Abraham qui éprouve Dieu, et non l'inverse.

En me réveillant, ce matin, j'ai longtemps regardé Ibrahim dormir, étendu par terre. Mais je n'ai pas retrouvé le réconfort d'hier soir, sa voix chaude et monotone, comme surgie de la dispersion de la nuit. Et de son récit, si vivant, si entier il y a quelques heures, il ne reste, dans ma mémoire vacillante, qu'une enfilade d'énigmes désespérées, une rhapsodie de mots résonnants, mais démembrés et sans chemin.

Jérusalem, le 17 mars 2009

« *C'est quand on n'a plus rien que Dieu nous apparaît. Il est ce dernier espoir, cette infime lumière lorsque le monde est sur le point de se dérober sous nos pieds.* »

Ibrahim me lit l'histoire de Job, sa lutte contre Dieu, son combat pour l'empêcher de disparaître.

« *Tu es trop intransigeante. Tu voudrais que Dieu s'attache à chacun de tes pas, qu'il t'accompagne et te* redresse comme une sorte d'ange gardien. Si notre vie était traversée de certitudes, quel besoin aurions-nous de Dieu ? Prier a un sens, même si on n'est pas sûr (et parce qu'on n'est pas sûr) que Dieu nous entend. Tu voudrais que la prière soit efficace, qu'elle transforme le monde. Mais c'est toi qui dois être changée par elle.

« Celui que tu invoques et que tu appelles Dieu, tu voudrais qu'il déplace tous les pions sur l'échiquier, qu'il t'écoute et se laisse guider par toi. Mais peut-être n'est-il pas en son pouvoir de réveiller la moindre brise, d'éteindre la moindre étincelle. Tout ce que tu peux espérer, c'est qu'il t'entraîne, par ta propre résolution, loin du bruit, là où la raison ne t'est plus d'aucun secours. Il sera le retour qui te détourne enfin de l'échiquier, parce que le combat qui compte est ailleurs. Il n'a pas sauvé ta mère. Mais au lieu de lui en vouloir, ne devrais-tu pas plutôt compatir avec lui ? Car au fond, c'est peut-être lui qui a besoin d'être sauvé. »

Jérusalem, le 18 mars 2009
J'écoute Ibrahim.

Pour que Dieu revienne, il faut que j'abolisse en moi tout ce que je sais de lui.

Il n'est pas le créateur du monde. Il n'est pas tout-puissant. Il ne guérit pas les malades. Il n'accompagne pas, de son regard, chacun de mes gestes. Il ne juge pas les hommes. Il ne les punit pas. Il n'exauce pas les prières. Il ne console pas de la mort.

Je ne dois même plus dire « Dieu ». Il faudrait, chaque fois que je l'évoque, ouvrir un espace de silence dans la parole. Il faudrait écrire «   » pour signifier « Dieu ».

Il est ce qui me reste quand j'ai tout perdu : la force mourante, presque éteinte, de vouloir encore qu'il me réponde. C'est alors, peut-être, qu'il recueille notre regard : lorsque nous avons renoncé à l'espoir, lorsque l'amour nous a trahi, lorsque tout conspire à le chasser de nos pensées. Il est, surgie des ruines, ma voix qui appelle encore et, dans ma voix, la durée des vivants.

Jérusalem, le 19 mars 2009
Dieu, sans la confiance.

Jérusalem, le 20 mars 2009
Dieu se révèle dans l'interstice du doute — dans le soupçon qu'il pourrait, tout compte fait, affleurer à la surface de mon regard, malgré l'évidence écrasante de son absence.

Exilée du monde, je suis, dans le monde, le souvenir de sa présence.

*   *   *

De : Daniel
À : Sara
Objet : Jérusalem
Vendredi 20 mars 2009, 22 h 51

Ma chérie,
J'ai acheté mon billet ce matin. J'arrive le 25 mai. J'ai hâte !

Je t'embrasse tendrement,
Papa

*   *   *

Dimanche, Daniel et Samira déjeunent à l'hôtel des Trois Arches. Avant de raccompagner Samira chez elle, Daniel propose de monter dans la tour.

Accoudés sur le parapet, ils se laissent bercer par la rumeur de la ville et reconnaissent, aux vapeurs âcres et lourdes qui s'élèvent, la vie des rues et des jardins. Le regard de Daniel s'est posé sur le visage de la jeune femme, sur la courbe de son dos nu, arqué comme une figure de proue, sur ses yeux, tendus vers l'horizon. Baignés de soleil, ils paraissent emprunter leur couleur à l'ambre de la ville, à l'éclat terreux des pierres. L'iris, brûlant de braises mordorées, semble palpiter, s'affaissant sur lui-même comme la surface d'un sablier.

Samira tourne la tête vers lui et, aussitôt, Daniel cesse de la regarder. Ses yeux plongent vers le pied de la tour, vingt-cinq mètres plus bas. Samira a peur. Elle croit reconnaître dans ce regard non la honte de l'avoir observée avec trop d'insistance, mais l'inertie de l'homme qui est sur le point de se jeter dans le vide.

*   *   *

Jérusalem, le 22 mars 2009

Avner vient d'appeler. J'ai peur.

« Je t'ai vue avec l'Arabe. » Comment sait-il ? Il a dû me suivre, c'est sûr.

Depuis combien de temps ? Où nous a-t-il vus ? À l'université ? À la résidence du Mont Scopus ?

Il y avait dans sa voix tant de haine… J'ai l'impression de ne pas le connaître, de ne l'avoir jamais connu. Il avait bu. Il répétait son accusation : « Je t'ai vue… Je sais tout… »

J'entends encore son murmure de possédé. Il me semble que je vois son visage, son sourire dépité, sarcastique, ses lèvres gluantes et, dans ses yeux, cet abîme, ce silence, cette vie glacée, comme le regard globuleux d'une statue romaine.

Par bribes, j'ai fini par mieux comprendre pourquoi Tareq et Ibrahim se sont éloignés l'un de l'autre. Ibrahim parti, Tareq n'avait plus personne à défendre contre la malveillance de ses camarades et plus personne pour l'aider à l'école et lui donner confiance. Ibrahim, de son côté, découvrait un nouvel univers. Lorsqu'il revenait de Haïfa, il décrivait avec enthousiasme son école, ses professeurs, ses camarades — dont la majorité étaient juifs. Des domaines jusqu'alors inconnus s'ouvraient à lui : l'histoire des mathématiques, la Révolution française, le système digestif des mammifères. Des auteurs dont il ne connaissait que le nom, Shakespeare, Dickens, Molière, lui devenaient peu à peu moins étrangers.

Et, surtout, il apprenait l'hébreu. En lisant la Bible

pour la première fois, il se trouvait confronté à de nouvelles incarnations des figures du Coran : Abraham, Ismaël, Jacob, Moïse. L'histoire de Joseph et de ses frères prenait une tournure à la fois étrange et familière, comme une musique pour violon qu'on entend pour la première fois interprétée au piano. Les deux récits, celui de la Torah et celui du Coran, lui semblaient développer, dans des registres distincts, deux variations sur un thème unique qu'aucun n'absorbait entièrement.

Au début, il avait tenté de partager ses impressions avec Tareq, mais ce dernier s'était montré si hostile qu'Ibrahim avait préféré ne pas insister. Il passait de plus en plus de temps avec ses camarades de Haïfa et ne rentrait plus à Nazareth qu'un week-end sur deux. Il continuait de se confier à sa mère, mais, avec Tareq, il n'échangeait plus que des paroles anodines et des questions polies.

Au collège de Haïfa, Ibrahim s'était lié d'amitié avec un étudiant juif. Il s'appelait Élie et, comme Ibrahim, il était boursier. Les autres élèves se moquaient de lui, de ses pantalons de velours côtelé démodés, de ses chaussures trouées, de sa veste aux manches élimées, et Ibrahim avait trouvé en lui un allié naturel. Lui, au moins, ne trouvait pas l'accent d'Ibrahim bizarre (ou en tout cas, il n'en disait rien) et ne riait pas quand il confondait les b et les p. Élie et lui s'asseyaient ensemble à la bibliothèque pour réviser leurs leçons, se parlaient de leurs lectures, échangeaient les disques de leurs groupes préférés.

Un week-end, Ibrahim a commis la maladresse de mentionner le nom d'Élie à table et, pour Tareq, ç'a été la goutte d'eau qui a fait déborder le vase. Au début, son amour-propre l'a emporté et il a gardé le silence. Mais peu à peu, les sentiments de Tareq sont apparus au grand jour. Il a commencé par des allusions peu subtiles à la duplicité des Juifs, se référant à l'actualité politique pour déclarer qu'on ne pouvait en aucun cas leur faire confiance. Puis, il a évoqué le Coran pour rappeler à Ibrahim qu'il était interdit à un musulman de se lier d'amitié avec un juif ou un chrétien. Hésitant à s'engager dans un débat théologique avec son cousin, Ibrahim a tout de même cité un autre verset coranique engageant les croyants à aimer tous ceux qui sont équitables peu importe leurs origines, mais à partir de ce moment il a senti qu'une distance infranchissable le séparait de Tareq.

Ibrahim ne l'avait pas immédiatement compris, mais Tareq a vécu son départ comme une véritable trahison. Le fait qu'il apprenne l'hébreu, qu'il fréquente des Juifs, que l'un d'entre eux devienne son meilleur ami ne faisait qu'attiser sa colère et sa jalousie. Ibrahim a bien fait appel à sa mère pour tenter de raisonner Tareq, mais ce dernier l'a repoussée d'autant plus brutalement qu'il se doutait qu'elle avait été envoyée par son cousin.

Ibrahim m'a relaté ces faits avec une sorte d'indifférence objective, comme s'ils concernaient un autre ; mais j'ai perçu, à son regard intense, à l'effort qu'il faisait pour trouver le mot juste, que la blessure est encore vive et qu'il s'est senti tout aussi abandonné que Tareq. La réconciliation, m'a-t-il expliqué, est d'autant plus impossible que Tareq est maintenant prisonnier d'une idéologie religieuse qui rend tout débat inutile. Peu après le départ d'Ibrahim, en effet, Tareq a commencé à fréquenter une école du soir où l'on enseignait le Coran et les grands principes de la religion. Les idées radicales que Tareq en ramenait laissaient supposer qu'on y faisait autre chose que réciter des versets du livre sacré. Tareq, dont le père est mort pendant les émeutes de la mosquée al-Aksa, s'est facilement laissé entraîner dans ces milieux. Il y a trouvé un refuge et un exutoire à sa haine.

En écoutant Ibrahim, je me suis souvenue du regard échangé avec Tareq lorsqu'il est venu se placer dans le cadre de la porte, à Nazareth ; une apparition aussitôt retournée dans le monde des rêves. Le récit d'Ibrahim a ressuscité cette vision, m'en a révélé le sens, comme on découvre dans sa clarté aveuglante, une fois la brume levée, un paysage dont on ne devinait auparavant que les contours. J'ai revu son sourire empreint de dépit et d'inquiétude et, surtout, ses yeux qui paraissaient se contredire, l'un gracieux et caressant, l'autre torturé de haine. Cette expression de rage contenue, de tendresse bafouée, tue, morte et, malgré tout, renaissante, me paraît contenir toute leur histoire.

*   *   *

À travers les rideaux entrouverts perce la lumière glauque et engourdie du matin. Daniel referme les yeux. Le sommeil l'enserre à nouveau.

Dans sa main, un poids, une autre main. Leila. Ils ont rendez-vous avec des amis et traversent le mont

Royal pour se rendre sur le Plateau. Çà et là, des monticules de neige percés de brindilles et de feuilles mortes parsèment les allées boueuses, dernières mues dont ne s'est pas encore dépouillé le printemps. Leila est enceinte, et lorsque le chemin devient plus escarpé, la pression de sa main dans la sienne se fait plus insistante. Sans ce guide impatient et résolu, Daniel serait perdu. Combien de fois ne s'est-il pas égaré en se promenant à Montréal, une ville pourtant si généreuse et conciliante?

Mais cette main, palpitant dans la sienne comme un petit animal, n'est-elle pas trop menue pour être celle de Leila? Dans son demi-sommeil, c'est la voix de Sara qui s'élève, timide et monotone. Elle récite une poésie, inquiète de ne pas suffisamment bien la connaître, et Daniel tente tant bien que mal de la rassurer. À mesure qu'ils se rapprochent de l'école, le débit de Sara devient plus haletant. Elle sera interrogée, elle en est certaine. Il faut qu'elle répète la dernière strophe trois fois de suite sans la moindre erreur. La petite main est devenue moite dans celle de Daniel, elle glisse, elle lui échappe, il essaie de la retenir. Mais déjà, elle est retournée à la mollesse des songes. Ce n'est plus la main de Sara, c'est… Daniel ouvre les yeux… Samira, endormie à ses côtés, leurs mains… Peu à peu, il se souvient. Hier soir. Il avait trop bu. Samira l'a aidé à remonter dans sa chambre. Il s'est allongé sur le lit, tout habillé. Elle n'a sans doute pas voulu le laisser seul… Que s'est-il passé après? Est-ce lui qui, perdant ses repères, cherchant un appui… Ou bien elle qui, le sentant fragile, déboussolé, a voulu le réconforter… Dans quelques instants, il retirera sa main. Doucement, lentement, pour ne pas la réveiller. Mais pas tout de suite. Encore quelques secondes, ce silence, cette présence, son délaissement suspendu…

*   *   *

Jérusalem, le 30 mars 2009, 20 h 15
Avner, encore. Cette fois, il ne dit rien. Le téléphone sonne. Je réponds. Il attend. La troisième fois, je dis : « Avner, je sais que c'est toi. Qu'est-ce que tu veux ? Je t'ai dit tout ce que j'avais à te dire… Tout ça est inutile… » Mais il ne parle pas. J'entends sa respiration, c'est tout. La septième fois, je m'impatiente : « Avner, arrête ! J'en ai assez ! Laisse-moi tranquille ! » Ma voix tremble. J'ai peur. J'éteins mon téléphone, mais je sais que demain matin j'aurai reçu trente appels d'un abonné inconnu.

Jérusalem, le 30 mars 2009, 22 h 30
Une main sur mon épaule. Je sursaute. C'est Samira. Je lui raconte. Avner, sa rancœur, les appels anonymes… Elle tente de me rassurer : « Ça lui passera. Il trouvera quelqu'un. Il finira bien par t'oublier. Et puis, qui sait ? Ce n'est peut-être pas lui, après tout ? »
Samira a raison. Il est possible que ce ne soit pas Avner. Mais qui, alors ? Ça fait une semaine. Tous les soirs, à partir de vingt heures. Dix fois, quinze fois. Jusqu'à ce

que j'éteigne mon téléphone. Et le lendemain, ça reprend. Comme si ça lui faisait plaisir de m'entendre dire « Allô ! Qui est à l'appareil ? », de sentir l'angoisse croissante dans ma voix, ma confusion, ma colère.

Samira croit que je devrais prendre les devants. Aller trouver Avner, lui parler, lui expliquer. Mais à quoi bon ? Ce n'est pas comme si je n'avais pas essayé. J'ai accepté d'aller prendre un café avec lui, j'ai parlementé autant que j'ai pu. Mais lorsqu'il m'a appelée, à moitié ivre, pour me dire : « Je t'ai vue avec l'Arabe… » Ce ton menaçant, cette hargne, non, il n'y a rien à faire.

*   *   *

De : Daniel
À : Sara
Objet : Tempête
Mardi 31 mars 2009, 8 h 21

Ma chérie,
Encore une tempête, hier. L'hiver n'en finit pas.
Je t'ai sentie préoccupée la dernière fois, au téléphone.
Ce sont tes études ?
S'il y a quoi que ce soit que je puisse faire, n'hésite pas à me le dire.
Je t'embrasse,
Papa

* * *

Jérusalem, le 2 avril 2009

Ibrahim avait l'air soucieux, ce soir. Assis dans la cuisine, nous avons partagé un falafel qu'il avait acheté en chemin. Je n'avais pas tellement d'appétit, et lui non plus.

Je redoute le son de ma voix. Il me semble qu'elle me trahit. Je n'ai encore rien dit à Ibrahim. Ces maudits coups de téléphone, les menaces d'Avner — tout ça cessera peut-être et je n'aurai pas à l'inquiéter inutilement.

Ibrahim évitait mon regard. Il était plus silencieux que d'habitude. À force de le questionner, j'ai fini par comprendre. Il y a ces deux individus... Au début, il a cru qu'il s'agissait d'une simple coïncidence. À la sortie de la cinémathèque, ils étaient là, postés à l'entrée du café. Deux jours plus tard, il les a aperçus dans une Corolla bleu ciel stationnée dans le parking de l'université. Avant-hier, c'étaient encore eux — un jeune homme grand et courbé aux cheveux noirs coupés ras et un gaillard ventripotent au teint basané et aux lèvres charnues —, qui faisaient semblant de fureter dans la librairie où Ibrahim passe ses après-midi. Et tout à l'heure, il n'y a pas de doute, c'étaient les mêmes individus qui l'observaient, en face de l'arrêt d'autobus.

Avner. Est-ce qu'il en serait capable? Faire suivre Ibrahim? Et tout ça pour quoi? Pour nous faire peur? Pour satisfaire sa jalousie?

Jérusalem, le 3 avril 2009

J'ai fini par parler à Ibrahim.

Avner. Les coups de téléphone jusque tard dans la nuit.

Ibrahim est longtemps resté silencieux. Puis, d'une voix qui n'était pas la sienne, une voix feutrée, laminée, débarrassée de toutes ses aspérités : « Comment sais-tu que c'est lui ? »

Jérusalem, le 5 avril 2009

Ibrahim utilise mon nouveau cellulaire pour parler à sa mère. L'ancien, je m'en suis débarrassée. Maintenant, plus personne ne m'appelle. Papa et Ibrahim sont les seuls à connaître mon numéro.

Ibrahim est dans la cuisine. De la chambre, j'entends des bribes de sa conversation. Il implore, il supplie. : « Tu es la seule qu'il écoute… Tu dois lui parler… Il faut qu'il arrête, sinon… »

Après avoir raccroché, il vient me rejoindre. Sa main sur la mienne, comme une ombre apaisante, mimant, pâle et sombre, la courbure inquiète de mes doigts.

Ibrahim n'a pas confiance. Tareq, dit-il, est capable de tout. Il est jaloux, mais il y a autre chose.

Ibrahim a tenté de lui expliquer. Il lui a parlé de moi, de notre rencontre. En s'ouvrant à Tareq, il pensait se rapprocher de lui. Mais c'était peine perdue. « Tu as choisi ton camp », c'est tout ce que son cousin lui a répondu.

Alors, les coups de téléphone, les individus bizarres qui le suivent, c'est Tareq ?

Ibrahim fait mine d'ignorer ma question. Le seul

espoir, répète-t-il, c'est sa mère. Elle est la seule que Tareq écoute encore.

Jérusalem, le 7 avril 2009
J'ai trouvé l'enveloppe sur le paillasson en rentrant de mes cours, ce soir. Pas d'adresse, rien que mon nom, en lettres majuscules.

J'ouvre l'enveloppe, déplie la feuille. Quatre lettres : « ZONA », « PUTAIN », en hébreu.

J'entends Ibrahim entrer dans la chambre. Il s'approche lentement, sans regarder mon visage. Il me prend dans ses bras, mais je continue de trembler.

*   *   *

De : Sara
À : Daniel
Objet : Nouvelles
Mercredi 8 avril 2009, 1 h 29

Bonsoir papa,
Je regrette de ne pas t'avoir appelé. Ne t'inquiète pas.
Je t'aime très fort,
Sara

*   *   *

Lorsque Samira arrive à la chambre de Daniel pour leur rendez-vous quotidien, elle est accueillie par un officier de police qui lui interdit d'entrer. Au fond du couloir, elle aperçoit le sergent Ben-Ami conférant avec les gens de l'hôtel. Elle s'approche. Il la reconnaît et la prend à part.

— Vous êtes l'amie de Sara, n'est-ce pas?

— Oui.

— J'ai une mauvaise nouvelle. Nous avons retrouvé son corps.

— Son…

— Oui. Morte. Égorgée. Son ami, Ibrahim Awad, lui aussi. Égorgés tous les deux.

— Où?

— Dans un appartement, à Haïfa. Le père de Sara a été prévenu. L'enterrement aura lieu demain.

*   *   *

Samira marchera dans les rues de la ville jusque tard dans la nuit. Au début, elle ne sentira rien. Dans sa tête, il n'y aura que des questions. Se peut-il que ce soit Tareq? Se sentant trahi et humilié par Ibrahim, il les aura traqués jusqu'à Haïfa. Caché dans l'appartement, il aura attendu leur retour le soir, puis se sera jeté sur eux. Ou bien Avner? N'aura-t-il pas pu les suivre, lui aussi? Peut-être aura-t-il même chargé un ancien camarade de l'armée de commettre les meurtres à sa place?

Bientôt, pourtant, les questions s'évanouiront. Samira ne pensera plus qu'au père, à sa douleur. Il n'y aura plus en elle que la peur. La peur de le revoir, de ne pas trouver les mots, de ne pas supporter son regard. Elle aura peur de ne plus être présente, d'avoir disparu pour lui.

*   *   *

De : Daniel
À : Sara
Objet : Nouvelles
Jeudi 9 avril 2009, 8 h 42

Ma chérie,
Merci pour ton message. J'ai vu qu'il était passé une heure du matin quand tu me l'as envoyé. Ne t'en fais pas, je suis sûr que tes examens se passeront très bien. Fais-moi simplement un petit « coucou » quand tu auras un moment.
Tu me manques. Je pense à toi,
Papa

*   *   *

Jérusalem, le 9 avril 2009
Ibrahim refuse que j'appelle la police. Il ne me l'a pas dit,

mais je crois qu'il veut éviter de causer des ennuis à Tareq. Si la police s'en mêle, Tareq risque la prison, même s'il est innocent.

*　　*　　*

Jérusalem, le 10 avril 2009
J'ai dîné avec Tamar au café de l'université. Je n'ai presque rien mangé.

Tamar a tenté tant bien que mal de me rassurer. Elle m'a proposé de parler à Avner. Elle l'interrogera discrètement. À ses réponses, elle pourra en apprendre plus long et savoir s'il est vraiment derrière tout ça.

Elle a peut-être raison. Mais je crains que ces efforts ne mènent à rien. Depuis notre séparation, j'ai découvert Avner sous un nouveau jour. Amène, aimable, bienveillant, il devient soudain impatient et se livre à des accès de rage aussitôt qu'il est contrarié. Je l'imagine très bien jouer l'innocent. Questionné par Tamar, il prétendra qu'il ne comprend pas du tout de quoi elle parle, qu'il n'est au courant de rien, qu'il a tourné la page depuis longtemps. Mais qui sait ce dont il est vraiment capable ?

Jérusalem, le 11 avril 2009
Je n'ai rien dit à papa. Quand il appelle, je ne lui parle que de mes examens et du temps qu'il fait.

Dans un peu plus d'un mois, il sera en Israël. J'ai hâte.

Je lui présenterai Samira, Ibrahim. Je n'aurai plus besoin d'expliquer. Il sera ici, avec moi, et, d'un seul coup, il comprendra.

Jérusalem, le 13 avril 2009, 21 h 15
Encore une enveloppe. À l'intérieur, une feuille blanche, pliée en huit. « CALBA », « CHIENNE ».

Cette fois, j'en ai assez. Après mes cours, je me rends au commissariat. L'officier regarde les deux feuilles posées sur son bureau. Il lève les yeux vers moi et m'offre un sourire qu'il veut sûrement rassurant : « C'est très désagréable, j'en conviens. Mais ce ne sont pas des menaces. »

Pas des menaces ! Mais qu'est-ce qu'il lui faut ? Ce sont des lettres anonymes, non ? Et ces coups de téléphone obsessifs, qui n'arrêtaient que lorsque j'éteignais mon cellulaire ? Et les individus qui suivent Ibrahim dans la rue ?

Mais j'étais trop furieuse pour lui répondre. J'ai ramassé les lettres, j'ai pris mon sac à dos et je suis partie.

En sortant du commissariat, j'ai remarqué une Corolla bleu ciel stationnée dans la rue d'en face. Je me suis mise à marcher dans la direction opposée et, après un long détour, je suis arrivée à la station d'autobus. En descendant, devant l'arrêt du Mont Scopus, j'aurais juré apercevoir la même voiture, une Toyota bleue au pare-brise craquelé. J'ai couru vers l'immeuble sans me retourner et me suis précipitée dans ma chambre.

Ibrahim n'est toujours pas rentré. Je lui ai laissé plusieurs messages, mais il ne m'a pas rappelée. J'ai tellement besoin qu'il soit là.

Jérusalem, le 13 avril 2009, 22 h 45
Ibrahim est finalement arrivé. Il ne m'a pas tout de suite
expliqué ce qui s'était passé.

Échevelé, essoufflé, le front en sueur, je ne l'avais
jamais vu dans cet état. Il promenait son regard partout
dans la chambre, comme s'il était convaincu qu'un intrus
s'y cachait, prêt à bondir sur lui à tout moment. Il s'appro-
chait de la fenêtre, écartait légèrement les rideaux et scru-
tait l'obscurité. Il ignorait toutes mes questions.

Finalement, il a relevé la tête vers moi : « Ils... ils...
m'ont suivi. » Qui, « ils » ? Il s'est contenté de hausser les
épaules et s'est remis à faire les cent pas. Puis, comme s'il
venait d'entendre ma question : « C'ét... c'étaient eux...
les... les... types... de la voi... voi... voiture bleue. »

Il est retourné à la fenêtre, mais en bas, la rue était
toujours vide.

*   *   *

Daniel est debout devant la tombe de Sara. Un
petit groupe d'hommes se presse autour de lui, comme
un troupeau qui se resserre autour d'un nouveau-né
pour le protéger des prédateurs. Samira les observe de
loin.

Elle écoute la voix monotone de Daniel, une voix
distante, glissant très haut au-delà de la douleur, comme
les paroles rassurantes d'un soldat envoyant des nouvelles du front. C'est le Kaddish, la prière des morts.

Dieu exalté par les hommes parce que rien ne demeure que la pauvreté des vivants, le chemin étroit de leur insignifiance.

À la sortie du cimetière, Samira suit la courte procession des cousins, des amis, des connaissances de Sara. Chacun son tour, ils s'approchent de Daniel, la tête penchée, le regard fuyant et prononcent les mêmes paroles inaudibles : « Je vous souhaite longue vie. » Samira répète, elle aussi, la formule de circonstance, mais ne peut s'empêcher de penser qu'une longue vie désertée de celles qu'il aime est probablement la dernière chose que Daniel désire.

Ce dernier la regarde comme si elle était une étrangère. Dans ses yeux, il n'y a presque plus rien d'humain. Il ne reste qu'une blancheur minérale, l'indifférence organique d'un être vivant qui observe un autre être vivant.

Finalement, Daniel lui serre la main. À ce contact, il ferme les yeux. C'est alors que son visage s'éclaire. Et dans le sourire qu'esquissent ses lèvres pâles et desséchées, Samira comprend qu'il a aussi reconnu sa douleur.

*   *   *

Jérusalem, le 18 avril 2009
L'ami d'Ibrahim, Élie, part un mois à New York et nous prête son appartement à Haïfa. Nous partons ce soir.

Haïfa, le 20 avril 2009

Je respire un peu mieux. Pour la première fois depuis quinze jours, je me suis endormie presque sans effort.

Ce matin, Ibrahim est sorti acheter du pain et des fruits. Nous avons passé la journée à lire et à écouter de la musique. De temps à autre, Ibrahim s'approche de la fenêtre, observe la rue à travers les stores, puis revient s'asseoir à côté de moi, soulagé.

La peur est toujours là, pourtant. Au moindre coup de vent contre la vitre, au moindre grincement derrière la porte, je sursaute.

*   *   *

Samira observe Daniel, prostré dans le fauteuil de sa chambre. Il évite son regard mais il lui est reconnaissant d'être là. Il a peur de se retrouver seul. Lorsqu'elle se préparera à partir, il cherchera à la retenir.

*   *   *

Haïfa, le 21 avril 2009

Nous parlons peu. Lorsqu'il me serre dans ses bras, il y a, derrière sa tendresse, la peur stérile que nous soyons séparés, comme si, déjà, une part de nous-mêmes avait été arrachée à l'autre. Nous ne sommes plus que des souve-

nirs, deux ombres figées dans leur étreinte, inséparables, refoulées par l'avenir.

Haïfa, le 22 avril 2009
Je redemande à Ibrahim : « Es-tu sûr que c'est Tareq ? » Il hausse les épaules. Puis, après un long silence, comme s'il poursuivait à voix haute son monologue intérieur : « Je ne le reconnais plus. Nous étions si proches. Trop proches, peut-être. Je n'ai jamais voulu lui faire de mal, mais il s'est mis à me haïr. Il s'est laissé pourrir le cerveau avec toutes ces idées haineuses. Quand on en arrive là, on est capable de tout... »

Je lui parle d'Avner, de notre dernière rencontre, de ses paroles pleines de ressentiment. Ibrahim ne paraît pas étonné. Il pose sur moi un regard qu'il veut sûrement rassurant. L'éclat vibrant de ses yeux s'est mué en une lumière paisible. Il s'assoit à côté de moi, me fait poser la tête sur sa poitrine. Ses mains blêmes recouvrent mon visage. « Il finira par oublier. La jalousie, ça finit toujours par s'oublier. » Il a dit ça comme un professeur qui énonce un théorème. Mais au fond, j'ai bien senti qu'il n'y croyait pas.

Haïfa, le 23 avril 2009
Voilà cinq jours que nous sommes ici. Pour la première fois, ce matin, nous sommes sortis ensemble. Après une longue promenade, nous nous sommes assis à la terrasse d'un café, avenue Hanassi.

Comme il me voyait soucieuse, Ibrahim s'est mis à évoquer ses souvenirs d'école, les parcs de Haïfa où il jouait au foot avec ses camarades, les hauts et les bas de son ami-

tié avec Élie. Je faisais oui de la tête pour paraître attentive, mais je ne pouvais m'empêcher de regarder sans cesse autour de moi, certaine qu'on nous épiait.

*   *   *

La voix de Samira est à peine audible, comme si elle craignait de rompre l'équilibre du silence. Elle a parlé au commissaire Ben-Ami. L'enquête progresse.

Daniel voudrait lui répondre, mais ses pensées le ramènent à sa dernière conversation avec Sara, une semaine avant son arrivée en Israël. Sa voix était plus hésitante que d'habitude. Elle paraissait distraite et répondait à ses questions de manière évasive. Puis, au moment de raccrocher, de but en blanc, ces mots, prononcés d'une voix précipitée, comme s'ils allaient lui brûler la langue : « Je t'aime, papa. » D'habitude, Sara achevait leurs conversations en disant « à bientôt » ou « je t'embrasse », ou encore par une formule à l'américaine : « Fais attention à toi. » Sur le coup, Daniel a été surpris, mais bientôt il n'y a plus pensé. C'est maintenant que ces mots lui reviennent, non comme un message d'amour, mais comme un présage menaçant et sinistre. « Je t'aime, papa », ça voulait dire : « J'ai peur, je ne sais pas quoi faire, je ne sais pas ce qui va nous arriver. »

*　　*　　*

Haïfa, le 24 avril 2009, 11 h 30
Ce matin, je me suis réveillée avant toi. Je t'ai regardé dormir, fascinée par ta respiration calme et régulière, indifférente aux menaces et à la peur. J'ai posé un baiser sur ton front. Aussitôt, tu as tourné la tête. Tes paupières se sont contractées, comme si elles essayaient de retenir la lumière qui fuyait, et je me suis demandé ce qu'était devenu mon baiser, absorbé par tes rêves.

Puis tu as ouvert les yeux et tout de suite, pour chasser mes pensées noires, je me suis mise à parler :

— J'ai encore rêvé de toi. C'est toujours la même scène, à peu de choses près : je suis poursuivie par deux énormes chiens bruns. Je cours, je cours, désespérément. Ils aboient, ils grognent, ils gagnent du terrain. Les rues sont désertes. J'appelle à l'aide, mais personne ne m'entend. Au fond de la rue, il y a un mur. Ça y est, c'est la fin. Je m'arrête, je me retourne. Les chiens ne sont plus qu'à quelques mètres de moi. Je lève les yeux et soudain je t'aperçois, debout sous le porche d'une maison qui borde la rue étroite. Tu me regardes, tu vois ma terreur. Les chiens m'ont encerclée, ils piétinent, leurs yeux minuscules et féroces rivés sur moi. Ils sont prêts à bondir, ils salivent déjà, tous crocs dehors. Pendant ce temps, tu demeures impassible. Tu pourrais les appeler, leur lancer des pierres ou prendre un bâton pour leur fracasser le crâne. Mais tu restes immobile. Et, bizarrement, ta présence m'est d'un grand réconfort. Je pourrais — je devrais — t'en vouloir.

Je devrais te crier : « Fais quelque chose ! Fais-les partir ! »
Mais je n'en ressens pas le besoin. Tu es impuissant, et pour
cette raison, précisément, je ne t'en veux pas. Ton seul
regard suffit à m'apaiser. Je suis transie de peur, mais j'ai
confiance. C'est la fin, je suis incapable de voir au-delà de
ce moment, et pourtant, tout ce qui compte, c'est ta pré-
sence, ta présence infime et évanescente.

    — Et après ?

    — Après, rien. Je me réveille.

    — Je... s... suis content d'être dans tes... rêves.
M... même si je n... n... n'existe presque pas.

    — Mon père rêvait souvent de maman. Le matin,
lorsqu'il lui racontait leurs aventures de la nuit, elle
lui souriait comme si elle reconnaissait les scènes qu'il lui
décrivait, comme si elle avait vraiment été avec lui. Il
disait, du ton de celui qui a une longue expérience de la
vie, que lorsqu'on arrête de rêver de l'autre, c'est signe que
l'amour commence à battre de l'aile.

    Tu m'as pris la main en posant sur moi un regard
douloureux qui voulait dire : « Nous n'aurons peut-être
pas le temps d'en arriver là. »

*   *   *

    Un cahier bleu est posé sur le bureau dans la
chambre d'hôtel qu'occupe Daniel depuis son arrivée
en Israël. Il s'agit d'un cahier d'écolier dont les anneaux
tordus rendent les pages difficiles à tourner. C'est Élie,

l'ami d'Ibrahim, qui l'a apporté ici. « Je l'ai trouvé par terre près de la fenêtre du salon avant que la police arrive chez moi. » Il l'a feuilleté rapidement. Les pages sont remplies d'une écriture fine, aux lettres incurvées garnies de boucles généreuses. Il a reconnu quelques mots en français et en a déduit qu'il appartenait à Sara.

Bientôt, Daniel se lèvera de son fauteuil. Lentement, il ouvrira le cahier comme s'il s'agissait d'un manuscrit précieux. Il lira les premiers mots : « *Mon père est juif. Ma mère était musulmane. Moi, je suis les deux. Longtemps, j'ai vécu sans me poser de questions.* »

Au début, il se dira : la solution est ici, inutile de chercher plus loin. Il suffit de lire, et tout deviendra clair.

*   *   *

De : Sara
À : Daniel
Objet : Ne t'inquiète pas
Vendredi 24 avril 2009, 19 h 25

Papa, je t'écris rapidement pour te dire que tout va bien. J'ai hâte de te voir.
Je t'aime,
Sara

*   *   *

Haïfa, le 25 avril 2009, 2 h 11
Ça y est. Ça recommence. Je n'en peux plus.

Haïfa, le 25 avril 2009, 10 h 08
Hier soir et ce matin encore, un message sur mon télé-
phone : « ZONA ». Comment ont-ils eu mon numéro ?
Est-ce qu'ils savent que je suis ici ? Je cours à la fenêtre.
Peut-être sont-ils dans l'immeuble d'en face ?
Ibrahim n'est pas encore rentré.
Pourquoi s'acharnent-ils sur nous ? « C'est seulement
pour nous faire peur. Ils finiront par laisser tomber. » Tous
les jours, Ibrahim essaie de me rassurer. Mais est-ce qu'il y
croit vraiment ?

Haïfa, le 25 avril 2009, 23 h 30
Un autre message. J'ai éteint mon téléphone.

Haïfa, le 26 avril 2009
Nous avons acheté les billets ce matin. Dans deux jours,
nous partons pour Montréal. Là, au moins, ils nous laisse-
ront tranquilles.
Nous resterons le temps qu'il faudra, jusqu'à ce qu'ils
nous oublient.

*   *   *

Immobile, voilà plus de trois heures que Daniel est plongé dans le journal de Sara. Il tourne les pages frénétiquement, à la recherche d'indices. Il s'attarde sur un passage où il est question de lui, revient sur une page où Sara rapporte l'une de leurs conversations, puis lit en diagonale, ne ralentissant que lorsque sont mentionnés les noms d'Avner et de Tareq. Les menaces, les lettres anonymes, la solution est là, sûrement. Bientôt, il saura, il en aura le cœur net, il pourra appeler le sergent Ben-Ami et lui déclarer : « Ne cherchez plus, j'ai trouvé le coupable. »

*   *   *

Haïfa, le 27 avril 2009
Nous n'avons plus rien à manger. Ibrahim est descendu acheter du pain et des fruits. J'ai essayé de le retenir, mais il a insisté. Il m'a promis de revenir vite.

Après avoir refermé la porte, je me suis dirigée vers la fenêtre. Je l'ai vu ouvrir la grille, puis disparaître au coin de la rue. Quelques minutes plus tard, une voiture bleue s'est arrêtée juste en face de l'immeuble. Une Corolla, j'en suis presque sûre. Deux hommes en sont sortis. Ils se sont engagés dans la rue du marchand de fruits. Ils marchaient d'un pas décidé.

Est-ce qu'ils ont suivi Ibrahim ? Non, ce n'est peut-être qu'une coïncidence, c'est mon imagination qui s'emballe. Des Corolla bleues, il y en a beaucoup…

J'ai peur. Ibrahim n'est toujours pas rentré. Ça fait plus de vingt minutes…

. *Il m'a fait promettre à nouveau de ne pas appeler la police. Mais j'ai trop peur. Je lui donne encore deux minutes. S'il n'est pas de retour d'ici là, j'appelle…*

*   *   *

De : Daniel
À : Sara
Objet : Réponds-moi vite
Jeudi 30 avril 2009, 23 h 08

Sara, ma chérie,
Ça fait plusieurs jours que j'essaie de te joindre. Je t'ai laissé plusieurs messages. Pourquoi tu ne réponds pas ? Je suis inquiet. Je t'en prie, réponds-moi. Envoie-moi juste un texto, simplement pour me dire que ça va.
Ton père qui t'aime

*   *   *

« *J'ai peur. Ibrahim n'est toujours pas rentré. Ça fait plus de vingt minutes…*

« *Il m'a fait promettre à nouveau de ne pas appeler la police. Mais j'ai trop peur. Je lui donne encore deux minutes. S'il n'est pas de retour d'ici là, j'appelle…* »

Ce sont les derniers mots du journal de Sara. Que s'est-il produit ensuite ? Qui est entré dans la chambre avant qu'elle ait eu le temps d'appeler la police ?

Les questions bourdonnent dans la tête de Daniel.

*   *   *

Insérés dans le cahier de Sara, Daniel découvre des feuillets en hébreu, portant, en guise de titre, les noms de personnages bibliques : Abraham, Job, Jacob…

Ce sont les récits d'Ibrahim, ces histoires qu'il lisait à Sara le soir, pour calmer sa peur. Bientôt, Daniel les lira à son tour. Il voudra, à travers eux, se rapprocher de sa fille, reprendre, à rebours, le chemin qui, peut-être, l'a réconciliée avec elle-même.

*   *   *

« Nous y sommes presque. Encore quelques jours et nous tiendrons le coupable », dit le sergent Ben-Ami. Daniel raccroche, lève les yeux sur Samira et se dirige vers la fenêtre qui donne sur le stationnement de l'hôtel.

La jeune femme finit par le convaincre de quitter sa chambre. Elle l'entraîne dans l'ascenseur. Docilement, Daniel la suit jusqu'au restaurant.

Samira ne détache pas les yeux de son visage, l'invitant à la regarder en retour. Elle voudrait qu'il comprenne, sans qu'elle ait à le dire, qu'elle ne partira pas, qu'elle restera à ses côtés le temps qu'il faudra.

Elle remarque son front, gravé de rides profondes semblables aux chemins sinueux que trace la mer sur le sable. Sous ses yeux, de lourdes poches grises se sont formées. Ses joues se sont affaissées, laissant apparaître, sous la peau translucide, la blancheur des os. Seule la bouche conserve un peu de sa vie ancienne et, lorsqu'il sourit, ses traits retrouvent de leur sérénité.

Bientôt, ils sauront. Et après? Daniel rentrera à Montréal. Il devra trouver la force de poursuivre, de reprendre, de reconstruire. Bien qu'il ne parle pas de la mort, Samira croit deviner ses pensées : continuer, c'est accepter une nouvelle vie, naître dans un monde où il n'y a plus Sara. À quoi peut bien servir l'avenir si ce n'est plus pour elle que tout recommence?

Mais Daniel ne pense pas à la mort. Il ne pense plus à rien. Il observe Samira et tout ce qu'il voit, ce sont ses yeux d'ambre, ses yeux qui semblent frémir comme l'eau juste avant de bouillir, comme le sable qui s'écoule lentement du creux de nos mains.

*   *   *

Dans la chambre d'hôtel de Daniel, les premiers rayons de soleil jettent sur les murs une lumière humide et pâle. Il est six heures. Allongée dans le fauteuil, Samira est réveillée par un murmure. Une langue qui ressemble à l'hébreu ou à l'arabe.

Yitgadal Véyitkadash Shemé Rabbah... Debout, le visage tourné vers la fenêtre, Daniel, un livre de prières dans les mains, déchiffre les paroles du Kaddish, la prière des morts. Les mots s'enchaînent, chacun une naissance, chaque naissance le souvenir de son absence, la mort, mille fois répétée, de Sara.

Bealmah Dibérah Khirouté... Daniel qui, depuis des semaines, ne vit que de sa mémoire, ne peut plus tolérer de n'avoir rien d'autre pour se rapprocher d'elle. Auparavant, il arrivait à supporter les souvenirs de joies éteintes parce que Sara, vivante, pouvait lui en apporter d'autres. Mais la mort de sa fille a chargé sa mémoire de tout l'avenir, de toutes les certitudes inéprouvées qu'il lui restait à vivre. Ses souvenirs, pâles et piètres vassaux devant porter seuls la couronne de l'existence, il les méprise, il voudrait les extirper de sa conscience. Parce qu'ils le trahissent. Parce qu'ils lui rappellent cruellement le regard qui l'ancrait dans la vie alors qu'ils sont incapables, pauvres vapeurs, de soutenir la vie de ce regard.

Véyamlich Malkhouté... Daniel peine à chaque phrase, mais qu'importe. Cette prière, ces mots araméens porteront désormais la mémoire sans cesse grossie, comme une marée montante, d'un présent d'où Sara est absente, cette mémoire grevée d'un avenir enlevé à la vie. Il peine parce qu'il est seul. Il peine de colère et de rage. Il peine de cette mort, de cette violence et de cette haine. Il peine de ne pas comprendre et de ne plus vouloir comprendre.

Véyatsmakh Pourkané Vikarev Méshikhé... Cette prière, pourtant, Daniel, l'homme qui ne connaît pas Dieu, la récite consciencieusement, chaque mot appelant le suivant, ouvrant un nouveau passage dans l'avenir désert.

Bekhayékhon Ouvyomékhon... Cette prière est envoyée en éclaireur vers le nouveau monde qui l'attend, un lieu sans passé, sans mots, sans refuge, une vie trouée, rapiécée, rapaillée, où chaque objet porte l'absence de Sara, où chaque regard signifie : « Je ne la connais pas, je ne l'ai jamais rencontrée. »

Ouvékhayé Dékhol Beit Yisraël... À chaque mot est attaché un fragment du souvenir de Sara. Il faut aller jusqu'au bout, jusqu'au dernier « amen », et alors, peut-être, l'image sera entière.

Baagalah Ouvizman Kariv Véimrou Amen... Ces paroles sont un chemin. Il suffit de continuer, encore un mot, encore un autre, et la vie, pendant ce temps, murmure et rumeur, se faufile derrière lui et l'entraîne à son insu. Ces paroles l'appellent et le portent. Déjà, demain se fait jour en elles. Ces paroles l'appellent et le protègent et l'éloignent de la douleur.

*   *   *

Daniel pose le livre de prières et se tourne vers Samira. Sur son visage, dénué d'émotion et de désir après ces semaines de tourmente, il ne reste que la peur.

La peur d'être abandonné, la peur de devoir porter, longtemps encore, un passé immense et désert, la peur, peut-être, de ne pouvoir affronter un monde en friche où tout demeure à construire.

Mais cette détresse n'abrite-t-elle pas déjà, dans son silence, dans sa persévérance, l'ombre d'un commencement ?

Lorsque le père s'agenouille sur le sable, le fils s'approche et se place face à lui, la tête penchée vers le sol.

Les mains d'Abraham se promènent longuement sur les joues, les lèvres, les paupières de son fils, comme s'il cherchait à en retenir la vie fuyante. Ses doigts se souviendront de ce visage longtemps après sa mort, ce visage à la confluence de tant de désirs, d'espoirs insoupçonnés et de confiance ardente.

Isaac relève la tête et regarde son père, mais ce dernier a les yeux perdus au-delà de la montagne. Seules ses lèvres remuent.

C'est une prière, sûrement, une prière qu'Isaac ne connaît pas.

Mais les paroles d'Abraham ne sont pas louanges.

« Mon Dieu, regarde-moi ! Regarde ma main ! Bientôt, le couteau qu'elle tient s'abattra sur la gorge de mon fils, mon fils unique, celui que j'aime et dont j'ai si longtemps porté le rêve en moi.

« Mon Dieu, réponds-moi ! Que j'entende la voix qui ne vient pas de mon cœur !

« Mon Dieu, tourne ton visage vers moi ! Que je puisse enfin toucher ta présence. »

Abraham lève le couteau, prêt à frapper. Sa main

ne tremble pas, mais de ses lèvres entrouvertes s'échappe un murmure fiévreux, comme un hurlement intérieur.

« Mon Dieu, arrête mon bras ! Montre-moi que tu es plus que ma vie et que je ne suis pas seul dans cette existence où je suis exilé.

« Si tu es maître en ce monde, tu ne permettras pas qu'un homme enlève à son fils la vie que tu lui as donnée.

« Si tu es autre que mon rêve, ta main rencontrera ma main et je saurai, même si tu devais à jamais te retirer du monde, qu'une seule fois nous aurons été deux, toi l'infini regard et moi l'homme qui te regarde. »

Les lèvres d'Abraham se tordent en une grimace monstrueuse. Les yeux grands ouverts tournés vers le soleil, il n'entend que son propre souffle, brisé par le souffle du vent.

Ses doigts se resserrent sur le manche du couteau, son bras se raffermit. Mais avant de porter le coup, ses yeux se posent sur la tête d'Isaac.

C'est alors qu'il voit son visage, comme pour la première fois.

Dans la blancheur nue de son regard, il n'y a ni peur ni reproche. C'est un visage qui ne dit que l'amour et la confiance.

La main d'Abraham se met à trembler. Cet être qu'il a voulu enlever au monde le ramène peu à peu à l'existence.

Isaac, chair de sa chair, n'est plus son fils, il est l'enfant de l'homme, l'étranger qui l'appelle et dont il répond. Dieu n'a pas d'autre visage.

Abraham lâche le couteau. Il pose ses mains fébriles sur les yeux d'Isaac, comme pour en protéger la lumière.

Dans le silence devenu paix, Abraham scrute l'horizon.

Les voix se sont retirées. Elles ne reviendront peut-être jamais. Mais quel besoin a-t-il de signes lorsqu'il a devant lui le miracle de l'autre homme ?

Dans le regard d'Isaac, il n'y a plus de questions. Il existe, immense, seul pilier devant la solitude d'Abraham.

Le père ferme enfin ses yeux brûlants.

Ses traits se transforment. Une paix, chaude comme la nuée du matin, se répand dans son corps endolori.

Il attire son fils vers lui et se laisse étreindre longuement.

Origine des citations

Amos Elon, *Jérusalem, capitale de la mémoire,* traduit de l'anglais par Bernard Hoepffner et Catherine Goffaux, Paris, Perrin, 1991, p. 230.

Mahmoud Darwich, « À Jérusalem », *Anthologie (1992-2005),* poèmes traduits de l'arabe par Elias Sanbar, Arles, Actes Sud, 2009, p. 231.

Elias Khoury, *La Porte du soleil,* traduit de l'arabe par Rania Samara, Arles, Actes Sud/Le Monde diplomatique, 2002, p. 595.

Tom Stoppard, *Rosencrantz and Guildenstern Are Dead,* New York, Grove Press, 1967, p. 115.

Henrik Ibsen, *Brand. Poème dramatique en cinq actes,* traduit du norvégien par le comte Maurice Prozor, Paris, Perrin, 1907, p. 190.

Mahmoud Darwich, « C'est mardi et le temps est clair », *Anthologie (1992-2005),* poèmes traduits de l'arabe par Elias Sanbar, Arles, Actes Sud, 2009, p. 307.

Etty Hillesum, *Une vie bouleversée. Journal 1941-1943,* traduit du néerlandais par Philippe Noble, Paris, Seuil, 1985, p. 166.

Crédits et remerciements

Les Éditions du Boréal reconnaissent l'aide financière
du gouvernement du Canada par l'entremise du Fonds du livre
du Canada (FLC) pour leurs activités d'édition et remercient le Conseil
des Arts du Canada pour son soutien financier.

Les Éditions du Boréal sont inscrites au Programme d'aide
aux entreprises du livre et de l'édition spécialisée de la SODEC
et bénéficient du Programme de crédit d'impôt pour l'édition
de livres du gouvernement du Québec.

Couverture : Sandra Ackerman, *Welche Farbe hat dein Herz.*

EXTRAIT DU CATALOGUE

Gil Adamson
    À l'aide, Jacques Cousteau
    La Veuve

Gilles Archambault
    À voix basse
    Les Choses d'un jour
    Comme une panthère noire
    Courir à sa perte
    De l'autre côté du pont
    De si douces dérives
    Enfances lointaines
    La Fleur aux dents
    La Fuite immobile
    Les Maladresses du cœur
    Nous étions jeunes encore
    L'Obsédante Obèse et autres agressions
    L'Ombre légère
    Parlons de moi
    Les Pins parasols
    Qui de nous deux ?
    Les Rives prochaines
    Stupeurs et autres écrits
    Le Tendre Matin
    Tu ne me dis jamais que je suis belle
    La Vie à trois
    Le Voyageur distrait
    Un après-midi de septembre
    Une suprême discrétion
    Un homme plein d'enfance
    Un promeneur en novembre

Margaret Atwood
    Comptes et Légendes
    Cibles mouvantes
    L'Odyssée de Pénélope

Edem Awumey
    Les Pieds sales
    Rose déluge

Nadine Bismuth
    Êtes-vous mariée à un psychopathe ?
    Les gens fidèles ne font pas les nouvelles
    Scrapbook

Neil Bissoondath
    À l'aube de lendemains précaires
    Arracher les montagnes
    Cartes postales de l'enfer
    La Clameur des ténèbres
    Tous ces mondes en elle
    Un baume pour le cœur

Marie-Claire Blais
    Augustino et le chœur de la destruction
    Dans la foudre et la lumière
    Le Jeune Homme sans avenir
    Mai au bal des prédateurs
    Naissance de Rebecca à l'ère des tourments
    Noces à midi au-dessus de l'abîme
    Soifs
    Une saison dans la vie d'Emmanuel

Elena Botchorichvili
    Faïna
    Seulement attendre et regarder
    Sovki
    La Tête de mon père
    Le Tiroir au papillon

Gérard Bouchard
    Mistouk
    Pikauba
    Uashat

André Carpentier
    Dylanne et moi
    Extraits de cafés
    Gésu Retard
    Mendiant de l'infini
    Ruelles, jours ouvrables

Nicolas Charette
    Chambres noires
    Jour de chance

Jean-François Chassay
L'Angle mort
Laisse
Sous Pression
Les Taches solaires

Ying Chen
Immobile
Le Champ dans la mer
Espèces
Le Mangeur
Querelle d'un squelette avec son double
Un enfant à ma porte

Ook Chung
Contes butô
L'Expérience interdite
La Trilogie coréenne

Gil Courtemanche
Je ne veux pas mourir seul
Le Monde, le lézard et moi
Un dimanche à la piscine à Kigali
Une belle mort

Michael Crummey
Du ventre de la baleine

France Daigle
Petites difficultés d'existence
Pour sûr
Un fin passage

Francine D'Amour
Écrire comme un chat
Pour de vrai, pour de faux
Presque rien
Le Retour d'Afrique

Michael Delisle
Tiroir Nº 24

Louise Desjardins
Cœurs braisés
Le Fils du Che
Rapide-Danseur
So long

Germaine Dionne
Le Fils de Jimi
Tequila bang bang

Fred Dompierre
Presque 39 ans, bientôt 100

David Dorais et Marie-Ève Mathieu
Plus loin

Christiane Duchesne
L'Homme des silences
L'Île au piano

Irina Egli
Terre salée

Marina Endicott
Charité bien ordonnée

Jacques Folch-Ribas
Les Pélicans de Géorgie
Paco

Jonathan Franzen
Freedom

Katia Gagnon
La Réparation

Simon Girard
Dawson Kid

Anne-Rose Gorroz
L'Homme ligoté

Agnès Gruda
Onze Petites Trahisons

Louis Hamelin
Betsi Larousse
La Constellation du Lynx
Le Joueur de flûte
Sauvages
Le Soleil des gouffres
Le Voyage en pot

Bruno Hébert
Alice court avec René
C'est pas moi, je le jure !

Suzanne Jacob
Amour, que veux-tu faire ?
Les Aventures de Pomme Douly
Fugueuses
Histoires de s'entendre
Parlez-moi d'amour
Un dé en bois de chêne
Wells

Nikos Kachtitsis
Le Héros de Gand

Emmanuel Kattan
Nous seuls

Nicole Krauss
La Grande Maison

Marie Laberge
Adélaïde
Annabelle
La Cérémonie des anges
Florent
Gabrielle
Juillet
Le Poids des ombres
Quelques Adieux
Revenir de loin
Sans rien ni personne

Marie-Sissi Labrèche
Amour et autres violences
Borderline
La Brèche
La Lune dans un HLM

Dany Laferrière
Chronique de la dérive douce
L'Énigme du retour
Je suis un écrivain japonais
Pays sans chapeau
Vers le sud

Robert Lalonde
Des nouvelles d'amis très chers
Espèces en voie de disparition
Le Fou du père
Iotékha'
Le Monde sur le flanc de la truite

Monsieur Bovary ou mourir au théâtre
Où vont les sizerins flammés en été ?
Que vais-je devenir jusqu'à ce que je meure ?
Le Seul Instant
Un cœur rouge dans la glace
Un jardin entouré de murailles
Le Vacarmeur

Nicolas Langelier
Réussir son hypermodernité
et sauver le reste de sa vie en 25 étapes faciles

Monique LaRue
Copies conformes
De fil en aiguille
La Démarche du crabe
La Gloire de Cassiodore
L'Œil de Marquise

Rachel Leclerc
Noces de sable
La Patience des fantômes
Ruelle Océan
Visions volées

André Major
L'Esprit vagabond
Histoires de déserteurs
La Vie provisoire

Gilles Marcotte
Une mission difficile
La Vie réelle
La Mort de Maurice Duplessis et autres nouvelles
Le Manuscrit Phaneuf

Yann Martel
Paul en Finlande

Colin McAdam
Fall

Maya Merrick
Sextant

Stéfani Meunier
Au bout du chemin
Ce n'est pas une façon de dire adieu
Et je te demanderai la mer
L'Étrangère

Hélène Monette
Le Blanc des yeux
Il y a quelqu'un ?
Là où était ici
Plaisirs et Paysages kitsch
Thérèse pour Joie et Orchestre
Un jardin dans la nuit
Unless

Caroline Montpetit
L'Enfant
Tomber du ciel

Lisa Moore
Février
Open

Alice Munro
Du côté de Castle Rock
Fugitives

Émile Ollivier
La Brûlerie

Véronique Papineau
Les Bonnes Personnes
Petites histoires avec un chat dedans (sauf une)

Alison Pick
L'Enfant du jeudi

Daniel Poliquin
L'Écureuil noir
L'Homme de paille
La Kermesse

Monique Proulx
Les Aurores montréales
Champagne
Le cœur est un muscle involontaire
Homme invisible à la fenêtre

Pascale Quiviger
La Maison des temps rompus
Pages à brûler

Rober Racine
Le Cœur de Mattingly
L'Ombre de la Terre
Les Vautours de Barcelone

Yvon Rivard
Le Milieu du jour
Le Siècle de Jeanne
Les Silences du corbeau

Alain Roy
Le Grand Respir
L'Impudeur
Quoi mettre dans sa valise ?

Mauricio Segura
Bouche-à-bouche
Côte-des-Nègres
Eucalyptus

Alexandre Soublière
Charlotte before Christ

Gaétan Soucy
L'Acquittement
Catoblépas
Music-Hall !
La Petite Fille qui aimait trop les allumettes

Miriam Toews
Drôle de tendresse
Irma Voth
Les Troutman volants

Lise Tremblay
La Sœur de Judith

Guillaume Vigneault
Carnets de naufrage
Chercher le vent

Kathleen Winter
Annabel

Ce livre a été imprimé sur du papier 100 % postconsommation,
traité sans chlore, certifié ÉcoLogo
et fabriqué dans une usine fonctionnant au biogaz.

MISE EN PAGES ET TYPOGRAPHIE :
LES ÉDITIONS DU BORÉAL

ACHEVÉ D'IMPRIMER EN OCTOBRE 2012
SUR LES PRESSES DE L'IMPRIMERIE GAUVIN
À GATINEAU (QUÉBEC).